CW00432006

LA DOUBLE PENSÉE

Du même auteur

Orwell anarchiste tory, Climats, 1995, nouvelle éd. 2008.
Les Intellectuels, le Peuple et le Ballon rond, Climats, 1998, nouvelle éd. 2003.
L'Enseignement de l'ignorance, Climats, 1999, nouvelle éd. 2006.
Les Valeurs de l'homme contemporain (avec Alain Finkielkraut et Pascal Bruckner), éditions du Tricorne-France Culture, 2001.
Impasse Adam Smith, Climats, 2002, Flammarion, coll. « Champs », 2006.
Orwell éducateur, Climats, 2003.
L'Empire du moindre mal, Climats, 2007.

JEAN-CLAUDE MICHÉA

LA DOUBLE PENSÉE

RETOUR SUR LA QUESTION LIBÉRALE

Champs essais

ISBN : 978-2-0812-1839-0

À Linda Kizico Hudan – si patiente et si précieuse.
Et, à travers elle, à Kim et Lola.

« Winston laissa tomber ses bras et remplit lentement d'air ses poumons. Son esprit s'échappa vers le labyrinthe de la double pensée. Connaître et ne pas connaître. En pleine conscience et avec une absolue bonne foi, émettre des mensonges soigneusement agencés. Retenir simultanément deux opinions qui s'annulent alors qu'on les sait contradictoires et croire à toutes deux. Employer la logique contre la logique. Répudier la morale alors qu'on se réclame d'elle. Croire en même temps que la démocratie est impossible et que le Parti est gardien de la démocratie. Oublier tout ce qu'il est nécessaire d'oublier, puis le rappeler à sa mémoire quand on en a besoin, pour l'oublier plus rapidement encore. Surtout, appliquer le processus au processus lui-même. Là était l'ultime subtilité. Persuader consciemment l'inconscient, puis devenir ensuite inconscient de l'acte d'hypnose que l'on vient de perpétrer. La compréhension même du mot "double pensée" impliquait l'emploi de la double pensée. »

George Orwell, *1984*

« On oublie trop souvent que le monde moderne, sous une autre face, est le monde bourgeois, le monde capitaliste. C'est même un spectacle amusant de voir comment nos socialistes antichrétiens, particulièrement anticatholiques, insoucieux de la contradiction, encensent le même monde sous le nom de moderne et le flétrissent, le même, sous le nom de bourgeois et de capitaliste. »

Charles Péguy,
De la situation faite au parti intellectuel, 1907

« Le socialisme, au XIXe siècle, a été inventé pour remplacer le capitalisme. Or nous devons assumer pleinement l'économie de marché. Je préfère parler de la gauche. »

Manuel Valls, *France-Soir*, 19 mai 2008

Avant-propos

I

L'emprise des dogmes libéraux sur le monde de l'« information » et du divertissement est devenue si manifeste (et si naturellement acceptée par les professionnels de ce monde) que certains analystes ont mis en avant – pour en rendre compte – le terme de « pensée unique [1] ». Les vertus descriptives d'un tel concept sont incontestables. En tout état de cause, il offre une traduction particulièrement plausible de cette *uniformité idéologique* désolante qui caractérise le paysage médiatique contemporain [2].

1. Les deux premiers auteurs à avoir utilisé cette notion semblent être Alain de Benoist (dans la revue *Éléments*, en 1993) et Ignacio Ramonet (dans *Le Monde diplomatique*, en 1995).

2. Cette uniformité idéologique atteint son degré d'intensité maximal chaque fois que les institutions capitalistes sont confrontées à une menace *réelle* (par exemple lors des référendums sur le traité de Maastricht et sur le projet de Constitution européenne), ou même simplement *fantasmée* (par exemple lors des élections présidentielles d'avril

Néanmoins, le fait même que l'usage de ce terme ait pu être aussi facilement banalisé a quelque chose de troublant. Il implique que, d'une certaine manière, chacun y trouve son compte. Ceux qui combattent le *libéralisme économique* feront ainsi valoir, à juste titre, que toute critique de l'idéologie de la croissance, du commerce mondial, de l'orthodoxie budgétaire, de la réforme des retraites ou de la fortune indécente des riches, ne peut occuper, dans les médias dominants, qu'une place extrêmement marginale (quand, encore, elle occupe une place). Mais, à l'inverse, ceux qui s'opposent au *libéralisme culturel* pourront faire valoir – avec autant de raison – qu'il serait difficilement imaginable, de nos jours, qu'un présentateur du journal télévisé tienne ouvertement des propos racistes ou homophobes, critique l'avortement, proclame la supériorité de l'homme sur la femme, présente avec bienveillance les propos du pape, ou appelle à l'expulsion de ceux qui ont franchi illégalement nos frontières. Le fait est que cette « pensée unique » apparaît toujours curieusement dédoublée : elle croise en permanence un discours *économiquement correct* (qui a plutôt les

2002). Le synchronisme absolu des commentaires politiques, l'ampleur des mensonges diffusés et l'inévitable mobilisation des artistes officiels peuvent alors être comparés, *sans la moindre exagération*, à la propagande normale des États totalitaires. C'est d'ailleurs dans ces moments privilégiés – quand chacun est tenu de *hurler avec les loups* et que les derniers masques tombent – qu'on peut se faire une idée précise du courage personnel, de la probité intellectuelle et de la valeur morale des professionnels des médias et du spectacle.

faveurs de la bourgeoisie de droite) et un discours *politiquement correct* (qui a plutôt les faveurs de la bourgeoisie de gauche [1].

Toute la question est donc de savoir dans quelle mesure cette dualité interne à la « pensée unique » est philosophiquement cohérente. Si l'on accepte l'analyse que j'ai proposée dans *L'Empire du moindre mal* (et qui est reprise ici sous une nouvelle forme) la réponse ne peut être qu'affirmative.

Depuis le XVIIIe siècle, en effet, la philosophie libérale s'est toujours présentée sous la forme d'une *pensée double* ou, si l'on préfère, d'un *tableau à double entrée* : d'une part, un libéralisme politique et culturel [2] (celui, par exemple, d'un Benjamin Constant ou d'un John Stuart Mill) et, de l'autre, un libéralisme économique (celui, par exemple d'un Adam Smith ou d'un Frédéric Bastiat). Ces deux libéralismes constituent, en réalité, les deux versions *parallèles* et (ce qui est le plus

---

1. On observerait la même division du travail à l'intérieur du champ universitaire. Le rôle des facultés d'économie est d'abord de former des lecteurs de *L'Expansion* (donc du *Point* et de *L'Express*) ; celui des facultés des lettres et sciences humaines de former des lecteurs de *Libération* (donc des *Inrockuptibles* et de *Télérama*). Chaque secteur du monde universitaire a donc son orthodoxie précise et ses manières correspondantes de définir l'« incorrection ».

2. Le libéralisme politique et le libéralisme culturel sont logiquement liés. Si chacun doit être entièrement libre de choisir le mode de vie qui lui convient, toutes les normes de vie traditionnelles perdent immédiatement leur pouvoir prescripteur et peuvent donc légitimement être déconstruites. Et réciproquement.

important) *complémentaires* d'une même logique intellectuelle et historique.

Cette complémentarité philosophique s'explique aisément. Les libertés purement « formelles » et *négatives* que l'État libéral garantit aux individus (chacun doit être *libre* de conduire sa vie comme il l'entend) ne sauraient – par définition – fonder le moindre principe de vie *commune* (en dehors de l'exigence, précisément négative, de ne pas nuire à autrui). Les libéraux politiques et culturels se trouvent donc régulièrement contraints – à un moment ou à un autre – de rechercher le point d'appui *positif* qui fait défaut à leur doctrine dans l'univers prosaïque du « doux commerce ». Seul ce dernier, en effet, – parce qu'il ne fait appel qu'à des motivations supposées communes à tous les hommes (à savoir la poursuite par chacun de son intérêt égoïste) – est censé offrir aux *sujets privatisés* (ou atomisés) du libéralisme politique et culturel un cadre de vie quotidienne effectivement commun[1]. C'est, en définitive, la raison pour laquelle, depuis le XIXe siècle, la plupart des libéraux politiques ont *logiquement* fini par voir dans l'économie de marché le complément naturel de leurs axiomes idéologiques initiaux[2].

---

1. On sait d'ailleurs qu'au XVIIIe siècle, le terme de « commerce » désignait encore toutes les formes d'échange susceptibles de favoriser un lien social civilisé (comme, par exemple, les charmes de la conversation).

2. Certains de façon résignée – comme Benjamin Constant ou Tocqueville. D'autres, au contraire, avec un véritable enthousiasme – comme Frédéric Bastiat.

C'est donc d'abord pour désigner cette circularité dialectique fondamentale [1] – ou ce jeu de bascule philosophique – entre les deux moments essentiels de la logique libérale, que j'ai choisi d'utiliser l'expression – forgée par George Orwell dans son roman *1984* – de « double pensée » (*doublethink*). Son premier mérite est de rendre aussitôt intelligible le paradoxe de la « pensée unique » : il n'existe, en effet, *aucune* contradiction de principe entre la lutte des libéraux économiques pour la mondialisation des échanges et pour l'abolition de toutes les frontières, et celle que les libéraux politiques et culturels ont engagée contre tous les « tabous » arbitraires de la morale et contre « toutes les formes de discrimination ». Le *Festival de Cannes* n'est pas la négation majestueuse du *Forum de Davos*. Il en est, au contraire, la vérité philosophique accomplie.

II

Dans le roman de George Orwell, le terme de *double pensée* a cependant un sens beaucoup plus

---

1. Cette dialectique a évidemment sa réciproque : lorsque le développement de l'économie de marché atteint le stade du *capitalisme de consommation* (ou de la « société du spectacle ») il trouve son complément logique dans la transformation des êtres humains en consommateurs infantilisés – soumis aux seules lois de l'envie et du caprice. C'est dans ce nouveau contexte que le *libéralisme culturel généralisé*

spécifique. Il désigne le mode de fonctionnement psychologique très particulier qui soutient l'exercice de la pensée totalitaire (Orwell s'est naturellement beaucoup inspiré des intellectuels staliniens de son époque). Cette étonnante gymnastique mentale – essentiellement fondée sur le *mensonge à soi-même* – permet à ceux qui en maîtrisent le principe de pouvoir penser *en même temps* deux propositions logiquement incompatibles [1] : par exemple – nous

---

apparaît comme la forme idéologique la plus appropriée aux exigences de l'économie illimitée.

1. « En même temps » est une précision nécessaire. Lorsque, par exemple, Michel Foucault écrit en 1967 que « ce que j'ai essayé de faire, c'est d'introduire des analyses de style structuraliste dans des domaines où elles n'avaient pas pénétré jusqu'à présent, c'est-à-dire dans l'histoire des idées, l'histoire des connaissances, l'histoire de la théorie » (*Dits et Écrits*, n° 47) ; *puis*, en 1976, que « je n'ai aucun lien avec le structuralisme, et [que] je n'ai jamais employé le structuralisme pour des analyses historiques. Pour aller plus loin, je dirai que j'ignore le structuralisme et qu'il ne m'intéresse pas » (*Dits et Écrits*, n° 174), ce *double jeu* ne relève évidemment pas de la double pensée. Il signifie simplement que neuf ans après le premier texte, la référence au *mot* « structuralisme » était passée de mode et qu'il était donc devenu plus rentable – en terme d'image universitaire – de s'en démarquer ostensiblement. En revanche, lorsqu'un intellectuel contemporain soutient, d'ouvrage en ouvrage, que les notions de « frontières d'État » et d'« identité nationale » sont intrinsèquement fascistes, et qu'*en conséquence*, le peuple tibétain et le peuple palestinien devraient se voir enfin reconnues des frontières d'État précises et conformes à leur identité nationale, nous avons clairement affaire à un cas de *double pensée* (malheureusement très répandu).

dit Orwell – « répudier la morale alors qu'on se réclame de la morale. Croire, en même temps, que la démocratie est impossible et que le Parti est le gardien de la démocratie » (*1984*).

Il m'a semblé que ce second sens du mot « double pensée » s'appliquait à merveille au régime mental de la nouvelle intelligentsia libérale de gauche (et d'« extrême gauche [1] ») qui a pris corps sous l'ère mitterrandienne. Son abandon du socialisme (désormais assimilé à un projet totalitaire ou « populiste ») et son ralliement corrélatif au libéralisme politique et culturel soumettent, en effet, cette intelligentsia – depuis maintenant plus de vingt ans – à un *double bind* particulièrement *affolant*. Le fait qu'en France

---

1. Il conviendrait, une fois pour toutes, de bien distinguer une position *radicale* d'une posture *extrémiste* (ou « extrême » – au sens où l'on parle, par exemple, d'un *sport extrême*). On appellera ainsi critique radicale toute critique qui s'avère capable d'identifier un mal *à sa racine* et qui est donc en mesure de proposer un traitement approprié. Une posture extrémiste, au contraire, renvoie essentiellement à cette configuration psychologique bien connue (et généralement d'origine *œdipienne*) qui oblige un sujet – afin de maintenir désespérément une image positive de lui-même – à *dépasser sans cesse les limites existantes* (la *surenchère mimétique perpétuelle* constituant, de ce fait, le rituel extrémiste par excellence). Ce sont naturellement là deux choses très différentes. Si quelqu'un propose par exemple (officiellement dans un but thérapeutique) que l'on coupe la jambe droite d'un malade atteint de la grippe, on ne dira pas que le remède proposé est radical ; on dira simplement qu'il est extrémiste (ou extrême). Le fait d'appartenir à une *gauche extrême* ne garantit donc en rien que cette gauche soit radicale.

– depuis l'affaire Dreyfus – le signifiant de « gauche » intègre encore une dimension anticapitaliste importante (que l'existence d'un puissant parti communiste a longtemps contribué à majorer) l'empêche d'assumer de façon véritablement sereine les implications économiques ultimes de son libéralisme culturel. Pour maintenir un semblant de cohérence philosophique, cette intelligentsia est donc condamnée en permanence à se mentir à elle-même et à s'*inventer* des ennemis idéologiques *à sa mesure* (qu'elle désigne, généralement, sous le nom menaçant de *nouveaux réactionnaires*). C'est pourquoi – là où Marx avait vu, avec raison, que le développement du système capitaliste impliquait *nécessairement* que « tous les rapports sociaux figés et couverts de rouille, avec leur cortège d'idées antiques et vénérables se dissolvent ; [que] ceux qui les remplacent vieillissent avant d'avoir pu s'ossifier ; [que] tout ce qui avait solidité et permanence s'en aille en fumée et que *tout ce qui était sacré soit profané* » – la nouvelle intelligentsia de gauche a dû décréter, au contraire, que le seul complément culturel concevable d'une société libérale fondée sur la mode, le spectacle, la consommation et la croissance illimitée était le *néoconservatisme* : autrement dit, un subtil mélange d'austérité religieuse (effectivement très pratiquée sous nos latitudes), de contrôle éducatif impitoyable des enfants, et de renforcement continu des institutions patriarcales et de nos obligations patriotiques et militaires.

Il suffit, naturellement, de passer dix minutes dans une salle de classe – ou devant un poste de télévision – pour mesurer à quel point cette nouvelle perception de la société libérale contemporaine est proprement *délirante* (et à quel point, en revanche, Marx avait su comprendre, dès 1848, la véritable essence du *nouveau monde* qui naissait sous ses yeux). Mais cette perception délirante apparaît paradoxalement comme une condition essentielle de l'équilibre psychologique des nouveaux intellectuels de gauche. Sans elle, il leur serait pratiquement impossible de continuer à vivre leur appel incessant à transgresser toutes les frontières et toutes les limites culturelles ou morales établies, comme une subversion magnifique du capitalisme de consommation [1].

---

1. Marx avait parfaitement saisi le rapport structurel des intellectuels de la classe dominante à l'*illusion*. Dans *L'Idéologie allemande*, il remarque ainsi que la bourgeoisie moderne possède sa propre « division du travail ». Elle a, d'un côté – dit-il – ses « intellectuels actifs » (*die aktiven konzeptiven Ideologen*), qui tirent leur subsistance principale (c'est-à-dire le principe de leur carrière universitaire) de « l'élaboration de l'illusion que cette classe se fait sur elle-même » ; et, de l'autre, elle a ses « membres actifs » (*die aktiven Mitglieder dieser Klasse*), c'est-à-dire ceux qui sont directement aux prises avec le monde de l'économie, et qui ont donc « moins de temps pour se faire des illusions et des idées sur leurs propres personnes ». Marx ajoute que cette « scission » entre les intellectuels libéraux de gauche et les hommes d'affaires libéraux de droite « peut même aboutir à une certaine opposition et une certaine hostilité des deux parties en présence ». Mais – fait-il observer – « dès que survient un conflit pratique où la classe tout entière est menacée, cette opposition tombe d'elle-même, tandis que l'on voit s'envoler l'illusion que les idées dominantes ne seraient pas les idées de la classe dominante et qu'elles auraient un pouvoir distinct du pouvoir de cette classe ».

Il va de soi que la *double pensée* – au sens qu'Orwell donnait à ce mot – représente l'unique moyen plausible de vivre une situation aussi étrange avec un tel degré de bonne conscience.

Telle est donc l'explication du titre donné à ce petit livre. En utilisant le concept de *double pensée*, je vise aussi bien la nature *philosophique* du libéralisme que la clé *psychologique* de sa défense de gauche.

Le présent essai trouve son point de départ dans une série d'interventions consacrées à *L'Empire du moindre mal.*

La première est un entretien avec Aude Lancelin, paru dans *Le Nouvel Observateur* du 27 septembre 2007. Il est reproduit ici sans modification. J'ai simplement réintégré les quelques fragments de phrases qui avaient été supprimés – faute de place – dans la version publiée.

La seconde est une conférence donnée, en novembre 2007, à Montpellier, au Centre Ascaso-Durruti. À la demande de mon ami Jean-Jacques Gandini, une première transcription de cette conférence est parue dans le numéro de mai 2008 de la revue anarchiste *Réfraction* (transcription reprise dans la *Revue du MAUSS* du premier semestre 2008). La version publiée ici a été améliorée et complétée.

La troisième intervention, enfin, a une généalogie complexe. Il s'agissait, au départ, d'un entretien avec Thierry Clair-Victor, diffusé sur *Radio libertaire* le 16 décembre 2007 – dans le cadre de son émission *Des mots, une voix.* À la demande de Freddy Gomez, une version considérablement amplifiée de cet entretien est parue dans le numéro 31 (juillet 2008) d'*À contretemps* – bulletin critique anarchiste aussi remarquable qu'il est confidentiel (pour ne pas dire clandestin [1]). Dans la présentation de ce numéro, Freddy Gomez indiquait que « par un de ces miracles dont la dialectique a le secret, l'entretien accordé à Thierry Clair-Victor – dont nous avons respecté la trame et le questionnement – s'est donc transmué en *autre chose* ». Inutile de dire que la version reproduite dans ce livre a été de nouveau remaniée et, surtout, prolongée par un appareil de notes qui ne figurait pas dans la publication initiale. Je remercie évidemment Thierry Clair-Victor et Freddy Gomez pour leur généreuse patience à mon endroit. Ils n'ont vraiment aucun amour du pouvoir.

Les trois derniers chapitres sont entièrement inédits.

1. Voici, néanmoins, les coordonnées du site de la revue : a-contretemps@wanadoo.fr

Entretien avec le *Nouvel Observateur*

– Le Nouvel Observateur. *Il n'y a pas de parti unique en France, mais il y a déjà une « alternance unique », écrivez-vous. La gauche, autant que la droite, repose sur une pensée libérale, selon vous, en passe de détruire l'idée que quiconque peut se faire d'un monde vivable. Si solution il devait y avoir, elle ne pourrait tenir que dans une « rupture » avec l'idéologie de la croissance… Que répondez-vous à ceux qui discréditent d'emblée ce genre de perspective en agitant le spectre des idéologies meurtrières du XVI*e* siècle ?*

– Le projet libéral, comme forme la plus cohérente de l'idéal moderne, est né de la nécessité de trouver une issue politique aux effroyables guerres civiles de religion qui ont dévasté l'Europe des XVIe et XVIIe siècles. De là, la méfiance bien compréhensible des libéraux envers toutes les « idéologies du Bien », de même que leur désir de croire en une société « axiologiquement neutre », gouvernée par les seuls mécanismes impersonnels du Droit et du Marché.

Le problème c'est qu'en décidant d'évacuer ainsi toute référence à des valeurs morales partagées on élimine aussi ce qu'Orwell appelait la *common decency*, c'est-à-dire ces vertus humaines élémentaires que sont, par exemple, la loyauté, l'honnêteté, la bienveillance ou la générosité. Or ces vertus, qui s'enracinent depuis des millénaires dans ce que Mauss nommait la logique du don, ne sauraient être confondues avec les constructions métaphysiques des fanatiques du « Bien » – que ces dernières trouvent leur principe officiel dans la volonté divine, l'ordre naturel ou le sens de l'Histoire. La preuve, c'est que c'est précisément au nom de telles idéologies du Bien que les entreprises totalitaires du XXe siècle ont pu entreprendre de détruire méthodiquement les normes les plus essentielles de la *common decency*. Si on ne présuppose pas la validité de ces dernières (c'est-à-dire leur caractère universalisable), je ne vois pas au nom de quoi on pourrait dénoncer le caractère *inhumain* des régimes nazis ou staliniens.

– *Une société qui s'interdit de promouvoir des valeurs communes en brandissant l'épouvantail de « l'ordre moral » se condamne à une régularisation massive de tous les comportements imaginables et finalement à l'autodestruction. Mais vous n'ignorez pas qu'une éthique ne se « décrète » pas... Alors comment agir quand la « machine à faire des dieux » est grippée ?*

– C'est justement parce que la pratique de ces vertus de base ne peut être « décrétée » qu'une société décente, ou « socialiste », ne devrait pas placer dans le Droit ou l'État le moteur principal de son propre développement. Il s'agit plutôt de construire progressivement un « contexte » politique, social et culturel qui favorise *indirectement* les dispositions à l'égalité, l'entraide et l'amitié plutôt qu'à l'égoïsme et à la guerre de tous contre tous. Cela n'a rien d'utopique. Qu'est-ce qui favorise, dans nos sociétés libérales, les progrès de l'égoïsme ou du désir de « réussir » au détriment de ses semblables ? C'est bien tout le contexte mis en place par la civilisation juridico-marchande, à travers, par exemple, son urbanisme, son organisation du travail, ses structures éducatives, sa propagande publicitaire ou son industrie de l'« information » et du divertissement. Ce que j'appelle ici un « contexte » est, du reste, assez proche de ce que Guy Debord désignait, dès 1957, comme la « construction de situations ».

– À la suite d'Orwell, il y a chez vous l'idée que les couches populaires sont dépositaires d'un code moral qui résiste encore aux ravages de l'idéologie libérale et permet le vivre ensemble... Cette affirmation optimiste, dernier cran d'arrêt de « l'humanisme » avant le terminus nihiliste, résiste-t-elle à l'observation ?

– Je poserai le problème à l'envers. Plus on s'élève dans la hiérarchie sociale (c'est-à-dire plus on devient riche, puissant ou célèbre) et plus la pratique des vertus humaines élémentaires devient difficile, voire impossible. Comme le dit l'adage américain, « si vous vivez à Washington et que vous cherchez un ami fidèle, adoptez un chien ». En revanche, dans les milieux populaires, dont l'idéal politique est avant tout négatif (« ne pas être opprimés », comme le notait Machiavel), les dispositions à l'entraide et au respect d'un certain nombre de valeurs morales élémentaires sont, encore, massivement répandues ; pour le plus grand désarroi, d'ailleurs, de cette gauche *contemporaine* dont la fascination pour toutes les formes de transgression est devenue la clé principale de sa culture et de ses combats. Certes, avec la destruction planifiée du cadre urbain et rural, et la précarisation de la vie professionnelle, ces valeurs de solidarité sont en recul constant. Mais la moindre observation sérieuse montre qu'il reste encore de la marge et, par conséquent, un grand potentiel de résistance politique à la « libéralisation » intégrale de la vie humaine. À votre avis, et pour ne prendre qu'un seul exemple, pourquoi les banques ont-elles pris l'habitude de changer régulièrement votre conseiller personnel ? Parce qu'elles savent parfaitement qu'un simple employé, avec le temps, risquerait de s'attacher à vous et de se comporter, dès lors, non plus comme un « commercial » qui doit à tout prix placer ses produits, mais comme un être humain réellement soucieux de vos problèmes quotidiens. C'est là, en somme, un hommage du vice libéral à la vertu des gens ordinaires, et donc une réponse à votre question.

– Et d'autre part, est-il si certain que la société fonctionne aujourd'hui sur le mode du chacun pour soi ? N'est-ce pas une idéologie de surface qui ne correspond pas aux comportements concrets ? Les montages normatifs sont certes différents de ceux des années 1950, notamment au niveau des modèles familiaux, mais on peut penser qu'ils engendrent aussi des solidarités…

– C'est, en partie, ce que j'essaye de dire ! D'une façon plus générale, une communauté humaine ne peut effectivement tenir et fonctionner au quotidien que si elle puise en permanence dans ce que Castoriadis appelait des « gisements culturels » étrangers par définition à la logique libérale, comme par exemple un minimum de dispositions psychologiques et culturelles à la confiance, à la générosité, et au sens du bien commun. Le problème, c'est que la société juridico-marchande ne peut se développer qu'en asséchant progressivement ces gisements culturels – de la même manière que la Croissance économique illimitée implique parallèlement la pollution et l'épuisement des ressources naturelles de la planète. Je suis en revanche beaucoup plus sceptique quant à ces nouvelles solidarités qu'engendreraient les « nouveaux modèles familiaux ». Si l'existence « familiale » des nouvelles générations doit essentiellement se dérouler entre le réfrigérateur en accès libre, la télévision, le téléphone portable, le MP3, l'ordinateur et la console de jeux, je doute que cette nouvelle forme de socialisation soit très favorable au développement du type humain requis par une société socialiste, c'est-à-dire par une société dans laquelle chacun pourrait vivre décemment d'une activité ayant un sens humain. En disant cela, je ne me place évidemment pas à un point de vue intemporel, sur le mode de la déploration. Je me place à un point de vue politique. La seule question qui doit se poser, en effet, est de savoir si nous voulons éduquer une génération de consommateurs égocentrés en symbiose parfaite avec la logique libérale ou, à l'inverse, une génération capable de résister radicalement à cette logique et de reprendre à son compte, sous les formes qui seront les siennes, l'idéal d'une société réellement humaine. Je comprends parfaitement, cela dit, que les sociologues officiels – ceux dont le système choisit de médiatiser les analyses – privilégient la première option et y voient un progrès civilisationnel incomparable. Ils ne vont quand même pas mordre la main qui les nourrit et les subventionne.

– On a parfois le sentiment que votre vision d'une déshumanisation générale s'applique avant tout au bobo procédurier, à la bonne conscience « politiquement correct » en acier trempé, et qui fonctionne en fait comme un implacable tortionnaire capitaliste sans même s'en rendre compte… Un type humain existant, mais plutôt rare, non ?

– Je suis bien d'accord. Les types humains que la société moderne propose en modèle – à travers tout son dispositif tentaculaire d'imposition culturelle – sont ceux, pour l'essentiel, qui correspondent aux façons d'être et aux intérêts des classes dominantes – concept aussi présent dans la réalité qu'il est absent de l'univers intellectuel moderne. Le problème c'est que la société du spectacle tend à fonctionner selon le paradoxe d'Andersen. Chacun, dans les classes populaires, voit bien que le roi est nu ; mais tout est fait, *consciemment ou non*, pour que chacun soit conduit à croire qu'il est le seul à le voir. Redonner au Peuple sa dignité de sujet politique suppose donc qu'on sache démonter cette fantasmagorie toute-puissante, mise en scène par les classes dominantes et leur domesticité intellectuelle. Les gens ordinaires, comme les appelle Orwell, pourront alors se réapproprier collectivement leur vérité et agir en conséquence.

– Dans son Abécédaire, *Deleuze, que vous ne ménagez pas, faisait de la différence entre la gauche et la droite une « affaire de perception ». La gauche se caractériserait ainsi par la sensibilité immédiate au lointain, au tiers-monde notamment, la droite se portant plus spontanément sur le souci du proche, la famille, la patrie… Citant Rousseau, vous invitez à se méfier des cosmopolites « qui vont chercher au lointain des devoirs qu'ils dédaignent d'accomplir autour d'eux ». Est-ce à dire qu'à vos yeux la tartuferie est inscrite dans le génome même de la gauche moderne ?*

– Il me semble qu'il n'y a guère de sens à opposer ainsi une prétendue sensibilité immédiate au lointain et le souci des proches, c'est-à-dire de ceux avec lesquels il nous est donné de vivre quotidiennement, que ce soient les parents, les amis, les voisins ou les collègues de travail. Le véritable cosmopolitisme ne s'est jamais fondé sur la négation ou le mépris de ce qui existe ici et maintenant. Il part, au contraire, de notre capacité d'universaliser et de radicaliser ce sens des autres et de la réciprocité qui prend nécessairement naissance dans les relations vécues en face à face. Autrement dit, et comme le soulignait, il y a déjà plus d'un demi-siècle, l'écrivain portugais Miguel Torga, « l'universel, c'est le local moins les murs ». À l'image de Rousseau, j'avoue donc ne pas beaucoup croire à l'authenticité morale de ces nobles engagements militants qui se révèlent à l'expérience parfaitement compatibles avec le mépris le plus tranquille de ceux qui nous entourent. C'est d'abord dans notre vie quotidienne, et dans la manière dont nous traitons nos proches, que nos dispositions proclamées à l'humanité peuvent *réellement* se vérifier. Lisez, par exemple, l'émouvante autobiographie de Reymond Tonneau, l'ultime survivant du massacre du Vercors [1]. Vous y verrez que le sens de l'universel s'y construit toujours à partir d'une fidélité profonde à ses enracinements particuliers et aux vertus humaines de base. C'est toute la différence entre un résistant et un terroriste. Si on se coupe de cette

---

1. Reymond Tonneau, *Vercors… Pays de la liberté*, éditions du Signe, 2004.

source indispensable, on se condamne à entrer, qu'on le veuille ou non, dans l'univers glauque des idéologies morales et du « politiquement correct ». Soit le contraire exact de cette *common decency* dont Orwell affirmait qu'elle était le seul fondement possible d'une société socialiste authentiquement humaine.

Centre Ascaso-Durruti
Revue *Réfractions*

I

Un mouvement anticapitaliste radical (on me pardonnera d'utiliser une terminologie aussi « archaïque ») a toutes les chances de demeurer stérile – ou, pis, de se corrompre historiquement – si ses cibles naturelles n'ont pas été identifiées avec toute la clarté requise. Or il s'agit là d'un travail politique que les développements actuels de la société libérale semblent avoir considérablement compliqué. Le capitalisme contemporain, en effet, fonctionne désormais beaucoup plus à la *séduction* qu'à la *répression* – comme Guy Debord avait su le comprendre en avançant le concept de « société du spectacle [1]».

1. « L'acceptation de l'ordre social par les populations occidentales est désormais assurée moins par la répression que par la séduction. Les données macroéconomiques dépendent largement de la microéconomie affective de chaque citoyen – le fameux « moral des ménages » –, de la manipulation de ses rêves et de ses aspirations. » Mona

Ce n'est évidemment pas par hasard si l'industrie publicitaire (à laquelle il serait logique d'ajouter celles du « divertissement » et du mensonge médiatique) représente de nos jours le *deuxième* poste de dépense mondial, juste après celui de l'armement. Et le *marquage quotidien* que cette curieuse industrie exerce sur l'imaginaire des individus modernes (sur leur « temps de cerveau disponible ») s'avère, à l'évidence, infiniment plus profond que celui des anciennes religions ou des vieilles propagandes totalitaires [A]. On ne saurait dire, toutefois, que les organisations qui prétendent – aujourd'hui encore – « lutter contre le capitalisme », aient pris, dans leur ensemble, la mesure réelle de ces nouvelles données. Il est malheureusement trop clair que la résistance aux effets *culturels, psychologiques et moraux* humainement dévastateurs de la logique libérale, ne constitue pas, à leurs yeux, une tâche politique prioritaire (à supposer même que cette tâche ait le moindre sens à l'intérieur de leurs dispositifs idéologiques actuels).

Il ne suffit pas de constater, cependant, que la « société du spectacle » représente la vérité accomplie du libéralisme réellement existant. Encore faut-il en tirer la conclusion logique et reconnaître que ce dernier ne peut plus reproduire les conditions de son « développement durable » sans s'assurer en permanence la complicité plus ou moins active de chacun d'entre nous. Ou, en d'autres termes, sans travailler à transformer chaque individu (en commençant, de

---

Chollet, « Le moral des ménages » in *La Fabrique du conformisme* (*Manières de voir* n° 96, décembre 2007).

préférence, par les plus jeunes [1]) en *bourreau de lui-même*, capable de collaborer sans état d'âme (et parfois même avec enthousiasme) au démontage de sa propre humanité. Ce point est d'une importance politique cruciale. Il n'est plus possible, en effet, de continuer à réduire le système capitaliste à une simple forme d'organisation de l'économie (à un simple « mode de production et d'échange ») dont il suffirait en somme, pour la rendre humainement tolérable, de « changer les modes de distribution et les gestionnaires à l'intérieur d'un mode de vie accepté par tous ses participants [2] ». Le capitalisme contemporain constitue, en réalité, une forme de « civilisation » parfaitement cohérente, aux ramifications multiples et variées, et qui s'incarne dans des *manières quotidiennes de vivre* (que la « mondialisation » a précisément pour but d'universaliser) à défaut desquelles la Croissance – c'est-à-dire l'accumulation du Capital – s'effondrerait aussitôt.

Soulignons, au passage, qu'il paraît très difficile de décrire ou d'expliquer ces nouveaux développements de la civilisation libérale sans prendre appui, d'une manière ou d'une autre, sur les concepts philosophiques de *fausse conscience* et d'*aliénation*. Or,

---

1. Il est symptomatique qu'en France, la plus importante manifestation politique de la jeunesse de ces *trente dernières années* demeure celle de décembre 1984 (un million de participants), organisée en soutien à radio NRJ, avec l'aide d'une agence de publicité et de stars du show-biz.

2. Anselm Jappe, « *La Princesse de Clèves*, aujourd'hui », *Lignes*, novembre 2007.

comme chacun l'aura remarqué, ces concepts – qui se trouvaient naguère au cœur de la critique radicale – ont mystérieusement disparu, depuis quelques décennies, de toutes les grilles de lecture de la *nouvelle* gauche (et, par voie de conséquence, de celles de la *nouvelle* extrême gauche) [B]. Ce n'est évidemment pas un hasard.

II

L'un des objectifs principaux de *L'Empire du moindre mal* était donc de contribuer à cette réactualisation nécessaire de la critique anticapitaliste en revenant, pour cela, aux origines mêmes de la pensée libérale. Mon hypothèse fondamentale, en effet, c'est que cette dernière – dont l'ombre s'étend à présent sur tous les aspects de notre vie – représente le seul développement *réellement cohérent* des axiomes fondateurs de la Modernité ; autrement dit – pour reprendre le mot de Cornelius Castoriadis – de cet *imaginaire* qui soutient depuis le XVIIe siècle le processus de transformation historique des sociétés occidentales. Quant à la genèse de cet imaginaire, elle ne devient elle-même pleinement intelligible que si on la rapporte d'abord au contexte dramatique des guerres de religion, c'est-à-dire de ces *guerres civiles idéologiques*, qui ont dévasté les sociétés du temps avec une durée, une ampleur et une brutalité inconnues des siècles précédents [C]. Ce n'est qu'à la lumière du profond traumatisme historique provoqué par ces guerres, à tous les sens du terme, *démoralisantes* [D], qu'il est possible de comprendre la double conviction qui a fini par structurer l'imaginaire politique moderne et, par conséquent, celui du libéralisme lui-même.

Première conviction : l'idée que la raison d'être ultime d'une organisation sociale et politique ne doit plus être de réaliser un idéal philosophique ou religieux particulier (d'imposer, par exemple, une certaine conception du salut de l'âme ou de la « vie bonne »). Elle est, avant tout, de rendre définitivement impossible le retour des guerres civiles idéologiques, en assurant à chacun de ses membres une protection permanente contre toutes les tentatives de faire son bonheur malgré lui (que ces tentatives procèdent de l'État, d'une association privée – secte, parti ou église – ou *des autres individus*, puisque dans le paradigme moderne, fondé sur les idées de défiance généralisée et de doute méthodique, *les voisins et les proches* constituent, comme on le voit bien chez Hobbes, une menace potentielle au moins aussi grande que celle représentée par les institutions politiques ou religieuses) [E].

Seconde conviction : l'idée que la seule façon rationnelle d'atteindre cet objectif volontairement *minimal* est d'instituer un pouvoir « axiologiquement neutre » (c'est-à-dire ne reposant *a priori* sur aucune religion, morale ou philosophie déterminée), pouvoir dont l'unique souci serait de garantir la *liberté individuelle* – c'est-à-dire le droit pour chacun de *vivre en paix* selon sa définition *privée* de la vie bonne – sous la seule et unique réserve que l'exercice de cette liberté ne nuise pas à celle d'autrui [F].

La grande originalité du libéralisme est d'avoir su conférer à cette double conviction moderne sa forme politique la plus radicale et la plus accomplie. Il ne se propose rien moins, en effet, que de *privatiser* intégralement ces différentes sources de discordes et de séditions que représentent nécessairement, selon lui, la morale, la religion et la philosophie. C'est cette ambition parfaitement démesurée qui explique, au passage, que la doctrine libérale (qui se veut, par définition, étrangère à toute « idéologie ») ait toujours trouvé ses deux appuis métaphysiques privilégiés, d'une part dans le *relativisme moral et culturel* (« à chacun sa vérité » ; « des goûts et des couleurs on ne discute pas ») et, d'autre part, dans le culte *positiviste* de la Science et de la « Raison » – c'est-à-dire dans le culte des seules instances supposées capables de fonder des *discours sans sujet* et donc officiellement libres de toute implication philosophique. On n'aura aucune peine à reconnaître ici les deux axes majeurs du paradigme « structuraliste » et de ses distrayants développements « postmodernes », qui sont devenus, de nos jours, le fondement universitaire et médiatique obligé des fameuses « nouvelles radicalités ».

Il est donc tout à fait légitime de comparer la fonction de l'*État de Droit* libéral à celle du code de la route. Comme ce dernier, son souci principal n'est pas d'imposer à chacun une destination préférentielle, mais simplement d'éviter les chocs et les collisions entre les libertés concurrentes dont chacune doit s'organiser désormais, selon le mot d'Engels, autour d'un « principe de vie particulier ». C'est ce souci purement pratique – ou « procédural » – qui explique que la politique contemporaine ne se définit plus (sauf, bien sûr, à l'occasion des différentes comédies électorales, c'est-à-dire lorsque les fractions rivales de la classe dirigeante sont tenues de noyer la rigueur de leur programme libéral sous une rhétorique plus compatible avec la *common decency* des classes populaires) comme une forme de gouvernement des hommes reposant sur des choix philosophiques fondamentaux dont il serait possible de débattre sérieusement. Elle se présente toujours, au contraire, comme une simple « administration des choses » relevant d'abord de la compétence d'*experts*, de *gestionnaires* ou de *techniciens*, à l'image de ceux qui opèrent, avec la brillante intelligence que l'on sait, au sein des diverses institutions du capitalisme international (Banque centrale européenne, OMC, FMI, OCDE, etc.).

Pour utiliser le langage introduit en 1975 par le rapport de la Commission trilatérale sur la « crise de la démocratie », on appelera donc « libéral » tout pouvoir politique qui prétend substituer aux anciennes interrogations « idéologiques » et « partisanes » sur la nature de la société bonne ou décente, le seul problème concret de la *gouvernabilité* des sociétés contemporaines. Problème qui se réduit fondamentalement, aux yeux des idéologues libéraux, à une simple affaire de calcul rationnel et de gestion « technique », étrangère par définition à toute préoccupation morale ou philosophique [1].

1. « Ceci n'est ni un rapport, ni une étude, mais un mode d'emploi pour des réformes urgentes et fondatrices. Il n'est

Sous la forme où je viens de l'exposer brièvement, le libéralisme originel peut néanmoins conserver quelque chose d'attrayant pour un esprit anarchiste. Après tout, l'idée d'une société où chacun serait enfin libre de vivre « comme il l'entend » possède à l'évidence des aspects réellement émancipateurs. Et de fait, je ne songe pas un seul instant à nier le rôle fondamental que les premiers libéraux politiques (comme Benjamin Constant ou John Stuart Mill) ont joué dans la promotion d'un certain nombre de libertés incontestablement *essentielles* et qui, du reste, figuraient généralement en bonne place dans les différents programmes du mouvement ouvrier originel (qu'on songe, par exemple, aux revendications des Chartistes anglais). N'importe quel anarchiste trouvera toujours un État libéral de type européen plus acceptable humainement que la Corée de Kim Jong Il ou le Cambodge de Pol Pot (on aimerait malheureusement pouvoir en dire autant de toutes les icônes présentes de l'« anticapitalisme » universitaire [1]).

---

ni partisan, ni bipartisan : il est non partisan ». Jacques Attali, *Commission pour la libération de la croissance française*, La Documentation française, 2008, p. 11.

1. On sait par exemple qu'Alain Badiou, que beaucoup tiennent désormais pour le représentant le plus intransigeant de la pensée radicale, n'a jamais été très clair sur ce sujet. C'est d'ailleurs l'une des raisons pour lesquelles Guy Debord considérait que parmi tous « les déchets critiques » de l'époque présente, il était assurément « le pire de tous » (« Lettre à Jean-François Martos du 16 mai 1982 », in Jean-François Martos, *Correspondance avec Guy Debord*, Paris, 1998, p. 50).

Toute la difficulté vient cependant du fait que la mise en œuvre effective de ce programme à première vue séduisant se trouve entièrement suspendue à un critère philosophique dont le maniement concret s'avère extrêmement problématique – dès lors que l'on doit impérativement se maintenir dans le cadre contraignant de la « neutralité axiologique » libérale. Comment établir, en effet, que l'exercice d'une liberté particulière *ne nuit pas à celle d'autrui* si je dois m'interdire, pour prononcer le moindre arbitrage, de recourir à un quelconque jugement de valeur ?

Considérons, pour ne prendre qu'un seul exemple, à la fois familier et d'actualité, la question de la coexistence pacifique entre fumeurs et non-fumeurs dans les lieux publics. Notons d'abord qu'il s'agit là d'un de ces nombreux « problèmes » qui se réglaient, il n'y a pas si longtemps encore, selon les règles habituelles de la *civilité* – ou de la simple *convivialité* – c'est-à-dire, dans les deux cas, *sans que l'État ait à intervenir*. À partir du moment, toutefois, où l'« opinion » (cette créature ambiguë des instituts de sondage et du lobbying associatif) est conduite à estimer que c'est au Droit et à ses tribunaux qu'il revient à présent de régler ce type de différend (et l'apparition, liée à l'érosion régulière de la civilité commune par le mode de vie capitaliste, de nouveaux types de comportements individuels – provocateurs d'un côté, procéduriers de l'autre – rend cette dérive inéluctable) on doit logiquement s'attendre à une multiplication de ces microconflits, et donc au développement continuel de formes toujours plus modernes de *la guerre de tous contre tous* [1]. Or s'il doit résoudre ce genre de conflits *sans sortir du cadre défini par ses axiomes positivistes*, le Droit libéral n'a pas d'autre solution rationnelle (puisqu'il est évidemment impossible de satisfaire simultanément deux revendications contradictoires) que de caler sa décision finale sur les rapports de force qui travaillent la société *à un moment donné*. C'est-à-dire, concrètement, sur les rapports de force existant entre les différents groupes d'intérêt qui parlent au nom de cette société, et dont le poids est essentiellement fonction de la surface médiatique qu'ils sont parvenus à occuper (ou que le Système a jugé particulièrement utile de leur concéder). Les variations perpétuelles de ces rapports de force suffisent alors à expliquer le paradoxe qui est devenu constitutif de la société libérale moderne.

Comme chacun peut le constater, elle est en effet inexorablement conduite, *au nom même du droit de chacun à s'accomplir librement*, à étendre sans cesse l'empire de la Loi et du Règlement et donc à multiplier les interdits et les censures (y compris, comme on le voit désormais, à l'endroit *des écrits et des simples paroles*) ; et cela, bien sûr, au gré des nouvelles revendications que chaque « communauté » est invitée en

1. Si l'on voulait avoir une idée plus précise des formes concrètes que peut prendre cette nouvelle guerre de tous contre tous (dans laquelle Engels voyait, en 1845, l'essence même de la société libérale) il suffirait d'observer les effets anthropologiques quotidiens induits par la transformation capitaliste de l'être humain en *automobiliste*.

permanence à déposer au pied des tribunaux, au nom de ce qu'on lui a appris à considérer comme la définition non négociable de sa propre liberté et la condition indispensable de sa « fierté » particulière [1].

Il est cependant évident qu'une telle *atomisation de la société par le Droit libéral* (et la réapparition correspondante de la vieille guerre de tous contre tous qu'elle implique) ne pourrait aboutir, à terme, qu'à rendre toute vie commune impossible. Une société humaine n'existe, en effet, que dans la mesure où elle parvient à reproduire en permanence du *lien*, ce qui suppose qu'elle puisse prendre appui sur un minimum de *langage commun* entre tous ceux qui la composent. Or si ce langage commun doit, conformément aux exigences du dogme libéral, être axiologiquement neutre (toute référence « idéologique »

---

1. Certaines associations « antitabac » vont ainsi jusqu'à exiger un contrôle *étatique* des pratiques familiales au nom des « droits de l'enfant ». Quant à la « lutte contre toutes les formes de discrimination », il semble que l'un de ses avatars les plus récents soit la croisade exaltante d'un universitaire écossais pour faire reconnaître la « calvitie avancée » comme un objet de discrimination inacceptable (*Marianne*, 26 avril 2008). Il est vrai qu'en Caroline du Nord, il existe déjà, depuis 1974, une *Bald-headed Men of America* (BHMA), qui revendique plusieurs milliers d'adhérents et dont la *Bald Pride* (qui doit certainement avoir fière allure) se déroule chaque année aux cris de « *Bald is beautiful !* », « *Bald is bold !* » et « *The Few ! The Proud ! The Bald !* ». Il est d'ailleurs à craindre que l'occultation persistante de ces glorieux combats par « l'extrême gauche » parisienne (que fait

étant supposée réintroduire les conditions de la guerre civile) il ne reste qu'une seule façon cohérente de résoudre ce problème. Elle consiste à fonder la cohésion anthropologique de la société sur l'unique attribut que les libéraux ont toujours tenu pour commun à l'ensemble les hommes : *leur disposition « naturelle » à agir selon leur intérêt bien compris.* C'est donc très logiquement sur l'échange intéressé (le fameux « donnant-donnant » qui fonde la rationalité des relations marchandes) que devra, en définitive, reposer la charge philosophique d'organiser la coexistence pacifique d'individus que tout est censé opposer par ailleurs (ou qui, du moins, devraient être considérés, selon la formulation de John Rawls, comme « mutuellement indifférents »).

Telle est, en dernière instance, la raison majeure pour laquelle l'Économie est devenue partout la *religion* des sociétés modernes [1]. Si nous sommes *a priori* convaincus qu'il n'existe aucune valeur morale *universalisable*, c'est-à-dire susceptible d'être comprise et acceptée par l'ensemble des membres d'une communauté libre, la seule manière concevable de relier (*religare*) les individus ainsi atomisés est effectivement de s'en remettre aux mécanismes supposés « neutres » et anonymes du Marché ; ou, en d'autres termes, de compter – en croisant

---

Éric Fassin ?) ne soit le signe d'une *alopéciophobie* assez douteuse, qu'il serait bon de « déconstruire » au plus vite.

1. On connaît la formule, d'un libéralisme limpide, que Voltaire emploie dans sa lettre à Mme d'Épinal : « Quand il s'agit d'argent tout le monde est de la même religion. »

les doigts – sur les retombées anthropologiques positives d'une Croissance illimitée. C'est donc bien parce que le Droit purement procédural des libéraux ne peut développer l'ensemble de ses virtualités sans diviser et séparer les hommes (quelles que soient ses intentions pacificatrices initiales), que l'économie de marché finit toujours par apparaître, *à un moment ou à un autre*, comme l'unique instance « axiologiquement neutre » capable de les réunir à nouveau *sans porter atteinte à leur liberté*. Le Marché représente, en réalité, la *seule base de repli philosophique* dont dispose le libéralisme politique et culturel. Il est le *Deus ex machina* qui doit permettre à ce dernier d'échapper à tout moment à ses propres démons.

L'appel à développer *sans limites philosophiques assignables* les « libertés individuelles » (qui, dans leur compréhension libérale – et par conséquent médiatique – formalisent moins les droits du sujet *autonome* que ceux de l'individu *atomisé*) ne se trouve donc pas corrélé par hasard à la présente expansion mondiale des rapports marchands (on sait que dans la stratégie des États occidentaux, l'artillerie lourde du libre-échange et des « ajustements structurels » est toujours précédée ou accompagnée par les chevau-légers de l'aventure « humanitaire »). Ces deux processus, que les libéraux considèrent d'ailleurs comme également inéluctables, ne constituent en réalité que les deux faces d'un seul et même problème. Si la vocation de chaque individu moderne est bien de se replier sur son « principe de vie particulier », tout en exigeant de la collectivité non pas la simple *reconnaissance* de ce principe (ce qui serait éventuellement légitime) mais son *approbation enthousiaste*, au nom de son *estime de soi* et de sa *fierté* particulière, on ne pourra, en effet, conjurer le retour, dès lors inévitable, de la guerre de tous contre tous qu'à une seule condition : que tous acceptent enfin de se glisser dans l'unique forme d'humanité qu'un libéral tient pour réellement *universalisable* : celle du consommateur « cool », « hype » et « nomade », dressé à désirer tout et son contraire, au gré des exigences toujours changeantes du marché mondial [G].

III

J'aimerais, pour terminer cette conférence, préciser encore deux points fondamentaux. En premier lieu, lorsque je critique l'utopie libérale d'un pouvoir « axiologiquement neutre » (ou qui pourrait être exercé de façon strictement « technique »), je n'invite évidemment pas à restaurer un quelconque « ordre moral » ou à défendre ce que j'ai appelé une « idéologie du Bien » (ou une « idéologie morale ») afin, précisément, de la distinguer de ce qu'Orwell nommait la « *common decency* ». Une idéologie du Bien, en effet, se présente toujours comme une construction *savante* (généralement élaborée en liaison avec les dogmes d'une Église ou la ligne d'un parti) censée énoncer un certain nombre de « vérités » métaphysiques au sujet de la volonté divine, du sens de l'Histoire ou des finalités ultimes de la Nature. La fonction principale de ce genre de construction est avant tout de définir une série de comportements concrets – considérés comme « pieux », « naturels » ou « politiquement corrects » – qui pourront dès lors être imposés *d'en haut* aux gens ordinaires – et souvent contre leurs convictions les mieux enracinées. Une idéologie morale pourra ainsi affirmer, entre mille autres absurdités métaphysiques, que l'homosexualité représente un « péché » contre la volonté divine (variante islamo-chrétienne), un symptôme de « décadence » et d'« épuisement vital » (variante fasciste) ou encore une « déviation petite-bourgeoise » (variante stalinienne). On voit clairement, sur cet exemple, que ce type d'affirmation arbitraire vise essentiellement à légitimer des pratiques d'exclusion et de persécution – autrement dit, des pratiques de pouvoir. En ce sens, et selon une formule de Nietzsche, une idéologie du Bien apparaît d'abord, comme une « métaphysique de bourreau ». Cela suffit, une fois pour toutes, à la différencier de ce que George Orwell appelait la *common decency*.

En utilisant cette dernière notion, en effet, George Orwell entendait seulement se référer à un ensemble précis de vertus *traditionnelles* – telles, par exemple, que l'honnêteté, la générosité, la loyauté, la bienveillance ou l'esprit d'entraide ; vertus auxquelles les *gens ordinaires*, ajoutait-il, attachent de toute évidence beaucoup plus d'importance que les intellectuels des classes possédantes, et que l'on pourrait ramener, sans trop en forcer le sens, à ces capacités psychologiques, morales et culturelles de *donner, recevoir et rendre*, dont Mauss a établi dans l'*Essai sur le don* qu'elles constituaient le sol fondateur des relations humaines. Or il va de soi, pour reprendre notre exemple, que ces dispositions pratiques à la réciprocité (qu'elles se fondent sur le *sens de l'autre*, sur celui de l'*honneur* ou sur la simple *coutume*) sont parfaitement indépendantes de l'orientation sexuelle d'un sujet. On peut être un « hétérosexuel » égoïste et narcissique, prêt à tout pour s'enrichir, devenir célèbre ou jouir de son pouvoir sur autrui ; ou, à l'inverse un « homosexuel » attentif à ses semblables et capable de se comporter avec eux de manière simple et humaine [1]. C'est pourquoi une société *décente* (selon le mot qu'utilisait Orwell pour désigner la société socialiste) n'a, par définition, *aucune* position morale ou politique particulière à faire valoir sur ce type de questions. Elle doit seulement veiller à ce que tous ceux qui désireraient en débattre *philosophiquement* puissent, naturellement, le faire en toute liberté (c'est-à-dire sans avoir à redouter, comme dans nos sociétés libérales développées, un quelconque procès en sorcellerie ou une interdiction professionnelle).

L'art peut, d'ailleurs, s'avérer ici un guide beaucoup plus efficace que la philosophie. *La Vie des autres* – le film admirable de Florian Henckel von Donnersmarck – offre ainsi une illustration parfaite de tout ce

1. Et inversement, bien sûr. Lorsque Chomsky écrivait après son célèbre débat avec Foucault : « Ce qui m'a frappé chez lui, c'est son amoralisme total. Je n'avais jamais rencontré quelqu'un qui manquât à ce point de moralité » (entretien avec James Miller du 16 janvier 1990), sa critique ne portait évidemment pas sur la sexualité de Foucault. Chomsky voulait simplement dire que Foucault n'appartenait pas au même univers moral et politique qu'un Pier Paolo Pasolini.

qui sépare la *common decency* de l'homme ordinaire de ces idéologies du Bien que les idéologues avides de pouvoir (de Torquemada à Mao) ont toujours excellé à construire et à imposer par la force. C'est, en effet, parce que l'agent Wiesler ne peut s'empêcher de faire la seule chose que la *décence commune* exige (à savoir de se comporter en être humain et non plus comme un simple rouage d'une machine totalitaire) qu'il va progressivement trouver le courage *moral* d'affronter (quelles qu'en soient les conséquences pour sa propre carrière) le pouvoir politique pervers dont il avait jusqu'ici exécuté tous les commandements. De ce point de vue, *La Vie des autres* apparaît comme une mise en scène particulièrement efficace de l'éternel conflit entre la décence des hommes ordinaires (leur souci quotidien, écrivait Spinoza, de pratiquer « la justice et la charité ») et les exigences potentiellement meurtrières de toute idéologie du Bien. Il n'est pas exagéré de dire qu'il s'agit d'un film profondément orwellien (d'autant que l'émotion esthétique joue un rôle aussi décisif dans la prise de conscience morale de l'agent Wiesler que dans celle de Winston Smith, le héros de *1984*).

Ma seconde précision portera, quant à elle, sur l'essence même de la philosophie anarchiste. Je souligne, en effet, dans la dernière partie de mon essai, que *le point aveugle* de toutes les entreprises révolutionnaires a toujours été le problème posé par l'existence – probablement inévitable quel que soit le type de société – d'un certain nombre d'individus habités par un besoin pathologique d'exercer une emprise sur les autres (que cette emprise soit intellectuelle, psychologique, physique ou politique). Le souci de neutraliser la *volonté de puissance* de ce genre d'individus est évidemment l'une des origines de la sensibilité anarchiste. Mais ce souci ne devrait pas seulement conduire à développer une critique des limites du « régime représentatif » et donc à lutter pour la mise en place d'institutions *réellement* démocratiques. Comme Stendhal en faisait l'objection à Fourier (qu'il admirait par ailleurs beaucoup), il nous faut également comprendre que, *si l'on n'y prend garde*, les meilleures institutions politiques du monde (tout comme les idées généreuses qui en sont le fondement) seront toujours perverties et détournées de leur sens originel *du seul fait de cette volonté de puissance de quelques-uns*. Même, *et surtout*, lorsque ces quelques-uns s'arrangent pour ne rien voir du désir de pouvoir qui les anime, ni de ses manifestations les plus évidentes : comme, par exemple, leur besoin *infantile* d'être admiré (et leur difficulté corrélative à accepter la contradiction), leur aptitude remarquable à obtenir tout ce qu'ils veulent en *culpabilisant* les autres, ou encore leur goût prononcé pour la mauvaise foi polémique, les excommunications et les scissions répétées [1]. C'est malheureusement là un phénomène que

1. En définissant la pratique du courtisan par la triple habitude de *demander, recevoir et prendre* (*Le mariage de Figaro*), Beaumarchais a remarquablement mis en lumière le lien qui unit la fascination pour le pouvoir et le mépris de la décence commune (et de sa triple obligation, en tout point

la plupart des militants connaissent très bien (du moins tant qu'ils ne songent pas eux-mêmes à se hisser par tous les moyens au sommet de l'Organisation révolutionnaire). Et ce n'est certainement pas par hasard si c'est précisément ce problème qui préoccupait Orwell et dont il a donné dans *Animal Farm* une description littéraire et politique magistrale.

C'est à coup sûr de cet endroit précis qu'il faudrait repartir si l'on voulait réellement comprendre pourquoi (et comment) tout au long de l'histoire, tant d'idées politiques généreuses ont été perverties, et tant de révolutions trahies. Être capable de saisir intellectuellement l'essence du capitalisme constitue donc bien, comme je le soulignais en commençant cette conférence, la condition première d'une politique radicale efficace. Mais savoir reconnaître la *volonté de puissance* des uns et des autres partout où elle se manifeste et sous toutes les formes où elle se manifeste

---

contraire, de *donner, recevoir et rendre*). L'un des premiers symptômes de la volonté de puissance, c'est-à-dire de ce besoin obsessionnel de vérifier à tout moment son degré d'emprise sur les autres, est en effet la tendance à toujours leur demander quelque chose et, bien vite, celle à leur *demander* toujours plus (ce n'est pas par hasard si la sagesse populaire, là encore très maussienne, enseigne « que ça ne se fait pas de *demander* » et que la moralité des hommes se mesure d'abord à leur capacité d'aider ou de donner). La figure du *tapeur* (qui se répand, de nos jours, au rythme exponentiel du développement capitaliste et des pratiques éducatives qui l'accompagnent) n'est ainsi que le maillon initial d'une longue chaîne qui conduit inexorablement à celle de l'*exploiteur.*

(y compris, naturellement, en nous-mêmes) voilà sans doute une condition *au moins* aussi décisive. Il est vrai que cette dernière condition implique un travail sur soi psychologiquement complexe et *moralement exigeant* dont bien des militants, officiellement « dévoués à la cause », ont d'excellentes raisons *personnelles* de vouloir être dispensés (au motif, par exemple, qu'il « détournerait de l'action » ou témoignerait d'un « psychologisme » politiquement suspect). Je reste cependant convaincu que tant que ce travail préalable – qui devrait concerner chacun de nous en tant que sujet singulier – n'aura pas été mené à bien, aucune société décente ne pourra durablement voir le jour. Et l'échec répétitif (que Sartre avait si bien décrit dans *L'Engrenage*) demeurera alors la loi d'airain des entreprises révolutionnaires. Ce n'est certainement pas à mes amis anarchistes que je vais l'apprendre. Du moins faut-il l'espérer [1].

1. Sur tous ces problèmes on trouvera des analyses passionnantes dans l'ouvrage de Martin Breaugh, *L'Expérience plébéienne*, Payot, 2007.

Notes

[A]

« Shanghai est aujourd'hui plus criblé de slogans publicitaires et de logos d'entreprises qu'il ne l'était, il y a une génération, de slogans de propagande communiste et de banderoles à la gloire du parti unique. » (Benjamin Barber, *Comment le capitalisme nous infantilise*, Fayard, 2007, p. 299.) Il y a sans doute, dans cette remarque, une base d'explication possible pour ce que les Allemands appellent l'*ostalgia* – mot-valise destiné à désigner l'étonnante nostalgie dont l'Ancien Régime est régulièrement l'objet de la part des populations de l'ex-empire soviétique. Le sentiment éprouvé par ces populations (et que tout voyageur qui a bien connu l'état antérieur de ces pays peut également comprendre) ne renvoie évidemment pas à une *présence* disparue et regrettée. Il s'agit bien plutôt du *manque d'une absence* : celle des formes les plus envahissantes et les plus agressives de cette société de consommation.

Il est remarquable, par ailleurs, que Debord ait su souligner *dès 1957* les effets des nouvelles techniques publicitaires sur la structure même du débat intellectuel : « La décomposition – écrivait-il ainsi – a tout gagné. On n'en est plus à voir l'emploi massif de la publicité commerciale influencer toujours davantage les jugements sur la création culturelle, ce qui était un processus ancien. On vient de parvenir à *un point d'absence idéologique* où seule agit l'activité publicitaire, à l'exclusion de tout jugement critique préalable, mais non sans entraîner un réflexe conditionné du jugement critique. Le jeu complexe des techniques de vente en vient à créer, automatiquement, et à la surprise générale des professionnels, des pseudo-sujets de discussion culturelle. *C'est l'importance sociologique du phénomène Sagan-Drouet*, expérience menée à bien en France dans les trois dernières années, et dont le retentissement aurait même passé les limites de la zone culturelle axée sur Paris. » (*Rapport sur la construction des situations et sur les conditions de l'organisation et de l'action de la tendance situationniste internationale*, juin 1957.) De nos jours, au contraire, les intellectuels de gauche ne se contentent pas de manifester activement pour le maintien de la propagande publicitaire sur les chaînes du « service public ». Ils en sont même à vouloir porter à l'écran la vie exemplaire de Françoise Sagan.

[B]

J'entends par « nouvelle extrême gauche » – il serait plus exact de dire l'*extrême nouvelle gauche* – celle qui a peu à peu remplacé, dans son discours comme dans ses modes d'action, la figure autrefois centrale du prolétaire (c'est-à-dire du travailleur *directement* exploité par les puissances du Capital) au profit de celle – beaucoup plus *périphérique* – de l'exclu (dont le sans-abri et le sans-papiers constituent à présent l'incarnation médiatique privilégiée) ; quand ce n'est pas, comme chez certains, au profit de celle du Lumpen – pour reprendre le terme que Marx utilisait afin de désigner « cette lie d'individus corrompus de toutes les classes, qui a son quartier général dans les grandes villes » (on remarquera, au passage, que ce concept marxiste a mystérieusement disparu du vocabulaire de la sociologie contemporaine). De ce point de vue, il n'est sans doute pas inutile de rappeler que le premier *recentrage* de la question politique moderne autour des problématiques de l'exclusion a été l'œuvre de René Lenoir, secrétaire d'État à l'action sociale sous Giscard d'Estaing, de 1974 à 1978 (*cf. Les Exclus*, Seuil, 1974). Il serait également intéressant d'analyser la façon exemplaire dont la figure du *travailleur* immigré (qui exerçait encore un rôle rédempteur majeur dans la théologie de la « Gauche prolétarienne ») a progressivement cédé la place à celle de *l'immigré* en général (époque de la formation de « SOS-Racisme ») puis, enfin, à celle de l'immigré *clandestin* (ou du « sans-papiers »), devenue l'unique figure messianique autorisée dans le catéchisme des « nouvelles radicalités » parisiennes.

Cette *nouvelle* extrême gauche (qui a surtout conservé de l'ancienne la *rhétorique extrémiste* et les postures psychologiques correspondantes) trouve assurément ses conditions de possibilité idéologiques dans *certains* aspects de la culture dite de « Mai 68 » (même si elle n'a pu rencontrer les conditions de son déploiement effectif, *y compris médiatiques et financières*, que dans le cadre très particulier de la stratégie mitterrandienne – et de son maître d'œuvre alors officiel, Jacques Attali). Cependant, une fois rappelée cette évidence, on n'a guère progressé du point de vue théorique car il reste encore à répondre à la seule véritable question : *de quoi « Mai 68 » est-il le nom* ?

L'idée qu'il pourrait s'agir là d'une réalité homogène et bien définie (qu'il serait du coup possible de célébrer ou de maudire *en bloc*, conformément aux exigences du positionnement journalistique ou de l'industrie commémorative) constitue en réalité l'exemple même de *l'illusion rétrospective*. Il est en effet impossible d'ignorer, notamment après les travaux de Kristin Ross, que les « événements de Mai 68 » ont d'abord représenté le point de télescopage politique entre deux mouvements sociaux *d'origine distincte* et dont l'unification après coup sous une catégorie *médiatique* commune apparaît singulièrement problématique : d'un côté un puissant mouvement ouvrier et populaire (« la plus grande grève de l'histoire de France »), de l'autre une révolte des élites étudiantes dont la logique et les motivations *réelles* (au-delà de la fausse conscience qui caractérisait la plupart de ses protagonistes) étaient d'une nature extrêmement différente, comme en atteste abondamment l'évolution personnelle ultérieure de la plupart de ses cadres dirigeants. Que pouvait-il y avoir de commun, par exemple, entre la volonté des paysans du Larzac de conserver leur droit de *vivre au pays* et celle d'un Daniel Cohn-Bendit – le futur député européen – invitant les étudiants parisiens à abolir toutes les frontières et à célébrer le pouvoir émancipateur de toutes les formes de « déterritorialisation » ?

De telles remarques seraient toutefois bien trop sommaires, si l'on n'ajoutait aussitôt que chacun de ces *deux Mai 68* s'est trouvé traversé à son tour par toute une série de divisions secondaires opposant chaque fois, et sous des formes spécifiques, un pôle *radical*, que l'idéologie dominante allait s'empresser de marginaliser par tous les moyens (qu'on songe, par exemple, aux critiques du consumérisme et aux différentes expériences d'autogestion, de vie communautaire ou de retour au monde rural) et un pôle *libéral-libertaire* qui allait très vite devenir, dans la construction médiatique dominante, la vérité *officielle* de ces événements multiples et contradictoires. C'est cette structure dialectique complexe qui explique par exemple, et pour nous en tenir au seul champ idéologique, que la séquence *Lukacs – École de Francfort – Socialisme et Barbarie – Henri Lefebvre – Internationale situationniste* (séquence qui était porteuse d'une critique intransigeante, et difficilement récupérable, du mode de vie capitaliste) ait été si rapidement éliminée de la vie intellectuelle officielle (et donc, par la même occasion, du souvenir de beaucoup d'individus) au profit de la séquence *Althusser-Bourdieu-Deleuze-Foucault-Derrida*, dont les conceptualisations élégantes et byzantines offraient évidemment l'avantage d'être beaucoup plus solubles dans *le nouvel esprit du capitalisme* (procurant, de ce fait, à toute une nouvelle génération d'universitaires, un fonds de commerce idéologique particulièrement rentable).

Il n'est, du reste, que de relire le texte incroyablement prophétique de Mustapha Khayati (*De la misère en milieu étudiant*, 1966) pour mesurer aussitôt l'ampleur effective de cette véritable *contre-révolution dans la révolution* qui, à partir du milieu des années 1970, a permis aux « nouvelles gauches » européennes de liquider progressivement la contestation anticapitaliste en substituant partout à la vieille *question sociale* (tenue à présent pour grise et archaïque) le seul combat, festif et multicolore, pour « l'évolution des mœurs » et « la fin de toutes les discriminations ».

Ces quelques précisions permettent de jeter un premier éclairage, aussi bien sur la généalogie politique *réelle* de la nouvelle extrême gauche « citoyenniste » (selon l'excellente formule de René Riesel), qui tient désormais le haut du pavé médiatique, que sur les raisons pour lesquelles – sous le nom décoratif de « post-modernisme » ou de *French theory* – elle a fini par exercer un pouvoir déterminant dans le champ académique contemporain et dans ses divers prolongements médiatiques et « associatifs ». Sur cette dernière question (et à travers l'exemple singulièrement révélateur de « l'imposture Foucault ») on trouvera des remarques extrêmement pertinentes dans le dernier ouvrage de Jean-Marc Mandosio (*D'or et de sable*, éditions de l'Encyclopédie des nuisances, Paris, 2008).

[C]

L'un des meilleurs livres sur la question est celui d'Olivier Christin (*La Paix de religion. L'autonomisation de la raison politique au XVIe siècle*, Seuil, 1997). Après avoir rappelé que la guerre civile idéologique a été vécue par les contemporains « comme le mal absolu, à la fois anéantissement de toute société politique, dissolution des solidarités traditionnelles (État, collectivité, métier, famille), déchaînement des passions égoïstes et perversion du corps social », l'auteur souligne ainsi que, pour sortir de ces conflits décivilisateurs, la méthode adoptée a d'abord été celle des « colloques » (comme, par exemple, ceux de Haguenau, de Worms, de Ratisbonne ou de Poissy). Ces colloques – organisés selon les règles de la « *disputatio* » médiévale – réunissaient des théologiens et des Humanistes (le plus souvent érasmiens), soucieux, avant tout, de trouver un *accord philosophique* fondé sur des bases intellectuelles, religieuses et morales communes. Cette première méthode ayant échoué, les théologiens et les Humanistes ont fini par céder progressivement la place aux « Politiques » et aux « Juristes » (d'où la célèbre maxime de l'époque : « Bon juriste, mauvais catholique » – maxime dont il existe évidemment une version protestante). Ces derniers abandonnèrent rapidement le projet initial de s'entendre sur des valeurs philosophiques communes au profit de l'idée, supposée plus « réaliste », selon laquelle le problème théologico-politique ne pourrait être résolu que si chacun acceptait de se soumettre aux seules exigences de la « Raison d'État », de la « nécessité » et de l'équilibre des forces. Tel est le sens de ces « paix de religion » (comme celles de Cappel, d'Augsbourg ou d'Amboise) qui vont constituer le véritable point de départ de la modernité européenne (et donc, à ce titre, l'origine la plus lointaine du projet libéral).

Cette distinction indispensable entre les deux processus de pacification idéologique successivement envisagés invite donc à relativiser sérieusement l'idée selon laquelle il existerait une continuité historique essentielle entre l'Humanisme de la Renaissance et le libéralisme moderne. Comme le remarque avec raison Olivier Christin, « l'histoire des paix de religion ne se confond donc pas avec celle – autrement plus florissante – de la tolérance. Si les grands artisans des pacifications du milieu du XVIe siècle ont peut-être adhéré aux aspirations irénistes de certains humanistes, et notamment à l'idéal complexe de concorde, le texte même des grands règlements de 1531, 1555, 1562-1563 et 1576 n'en laisse rien transparaître. Les enjeux et les acteurs des paix de religion ne recoupent ceux des débats intellectuels de la première moitié du siècle et les colloques religieux que de façon marginale :

les ressources théoriques, les formes argumentatives, les procédures de conciliation que convoquent ces deux versants opposés de la négociation pacifique entre confessions divergent très profondément. Comme le soulignait H. Guggisberg, l'idée de tolérance subit un infléchissement sensible dans la seconde moitié du siècle en trouvant de nouveaux défenseurs chez les juristes, les détenteurs d'offices publics et de charges politiques, qui renoncent aux valeurs de compassion et de réconciliation religieuses au profit d'autres arguments *où voisinent aspirations sincères, calculs politiques et intérêts mercantiles* » (p. 37). De ce point de vue, le « modernisme » constitue bien, dans son principe, un *antihumanisme théorique*. Et ceci vaut autant pour ses variantes de gauche que pour ses variantes de droite.

[D]

On pourrait mettre en parallèle les étapes décisives du développement de la pensée libérale et la façon dont ce *traumatisme originel* a été philosophiquement réactivé chaque fois que l'expérience historique livrait un matériau comparable à celui des guerres civiles de religion : massacres de septembre et Terreur jacobine, pour Benjamin Constant, Tocqueville et le deuxième libéralisme, guerre de Sécession pour le libéralisme américain, totalitarismes modernes et Guerre froide pour les libéraux du XXe siècle. Il serait également intéressant d'étudier dans cette perspective le rôle historique joué en France, à la fin des années 1970, par le mouvement des *nouveaux philosophes* et par leur critique (fort peu orwellienne) du « goulag » et du totalitarisme. C'est, en effet, ce mouvement idéologique (puissamment médiatisé) qui, en rendant conceptuellement possible le passage du « moment 1968 » au

« moment 1981 », a préparé avec le plus d'efficacité les esprits actuels à cette approche purement « humanitaire » et « citoyenne » des questions politiques – approche aujourd'hui dominante dans le « nouveau mouvement social » – et dans laquelle on reconnaîtra sans grande difficulté un simple habillage médiatique du vieil idéal libéral de « neutralité axiologique ». Les grotesques activistes de l'*Arche de Zoé* (dont le gourou avait fait ses premières armes à la tête de la très anticapitaliste *Fédération française de 4x4*) représentent sans doute la forme (provisoirement) la plus aberrante de cette dérive indissociablement idéologique et psychologique.

[E]

« La *liberté politique* dans un citoyen – écrit ainsi Montesquieu – est cette tranquillité d'esprit qui provient de l'opinion que chacun a de sa sûreté, et pour qu'on ait cette opinion, il faut que le gouvernement soit tel *qu'un citoyen ne puisse pas craindre un autre citoyen* » (*L'Esprit des lois*, XI, 6). Il est, du reste, assez symptomatique qu'un représentant de l'extrême gauche « postmoderne » ait pu considérer la *famille* et le *quartier* (autrement dit ces formes de socialité en *face à face* – auxquelles les premiers socialistes accordaient une importance si décisive dans la formation de la conscience politique) comme « les formes de socialité les plus réactionnaires » qui soient, leur opposant ainsi la nécessité de progresser « vers des formes d'appartenance de plus en plus abstraites dans lesquelles l'égoïsme n'est pas nié mais se reconnaît en dehors de lui-même ». (Pierre Zaoui, *Le Libéralisme est-il une sauvagerie ?*, Bayard, 2007, p. 169). Cette étrange phobie des voisins et *de tout ce qui est proche* (qui trouve sans doute certaines de ses clés psychologiques dans l'histoire *personnelle* de ses représentants, les premiers « proches » étant par définition les parents) n'explique pas seulement la difficulté récurrente que cette nouvelle gauche extrême éprouve à comprendre la théorie maussienne du don ou l'analyse orwellienne de la *common decency* (et donc l'idée que l'universel n'a de sens que s'il prend ses racines dans un sol particulier). Elle éclaire également sa fascination caractéristique pour la « cyberculture » et, d'une manière générale, pour toutes les technologies modernes qui encouragent la mise entre parenthèses du corps et la neutralisation des *intimidantes* relations en face à face. (Sur les fondements philosophiques de cette « cyberculture » – et notamment sur les théorisations nébuleuses des « libertaires du Net » comme Hakim Bey ou le Critical Art Ensemble –, on se reportera aux critiques corrosives de Jean-Marc Mandosio, dans l'ouvrage déjà cité).

[F]

D'un point de vue libéral, la « liberté » désigne donc avant tout le pouvoir de vivre en paix (« la jouissance paisible de son indépendance privée », comme l'écrit Constant). On trouve évidemment ici la racine principale du conflit philosophique qui a longtemps opposé libéraux et républicains. Pour ces derniers, dont la pensée s'inscrit, au départ, dans la tradition de l'humanisme civique florentin (de ce que John Pocock appelle le « moment machiavélien ») il n'y a, en effet, de liberté politique possible que dans la participation active de tous aux affaires de la Cité (ce qui inclut, entre autres, un éloge du dévouement à la patrie et de l'obligation de porter les armes). La tradition républicaine *originelle* est donc inséparable de toute une théorie de la « vertu » et de la souveraineté populaire, radicalement opposée aux apologies libérales de la tranquillité égoïste et au pacifisme constitutif des Modernes.

Au siècle des Lumières, la lutte entre ces deux courants philosophiques a pris la forme célèbre du débat sur les capacités socialisatrices respectives de la « vertu politique » et du « doux commerce ». Elle a également joué un rôle central dans la Révolution française, comme le montre clairement l'excellent petit livre de Lucien Jaume : *Échec au libéralisme. Les jacobins et l'État* (Kimé, 1990). Signalons enfin qu'il subsiste, dans la culture américaine contemporaine, un certain nombre de traits (importance du patriotisme, de la religion civile et des communautés de base, armement individuel du citoyen, légitimation rousseauiste de la peine de mort, etc.) qui ne seraient guère compréhensibles (puisqu'ils s'opposent radicalement à la sensibilité libérale) si l'on oubliait le rôle majeur que la tradition républicaine a joué dans l'œuvre des Pères fondateurs (le livre de Pocock – *Le Moment machiavélien* – apporte sur ce point un éclairage décisif). On trouverait, d'ailleurs, un certain nombre de traits analogues dans le cas de la Suisse moderne.

[G]

Il est nécessaire d'ajouter ici que si la *forme* philosophiquement vide du Droit libéral ne peut se développer logiquement sans prendre appui, à un moment ou à un autre, sur le *contenu* anthropologique que lui offre l'économie de marché (on sait qu'en France, le quotidien *Libération* représente depuis longtemps la forme la plus accomplie de cette synthèse inéluctable), l'inverse n'est pas tout à fait exact. C'est ainsi que Von Mises, en 1927, puis

Hayek (dans une interview accordée en 1981 au *Mercurio* – le quotidien de la junte chilienne) ont pu tranquillement défendre l'idée que *dans certaines circonstances* le développement du libre-échange pourrait très bien s'accommoder d'institutions dictatoriales (Von Mises se référait à l'expérience du fascisme italien, tandis qu'Hayek – ce farouche défenseur des libertés individuelles – affichait son admiration philosophique pour le Chili de Pinochet). D'un point de vue libéral, il ne peut cependant s'agir là que de « solutions d'urgence » (selon l'expression d'Hayek lui-même). Contrairement aux idées développées par une Wendy Brown (qui croit encore, en bonne disciple américaine de Foucault, que les valeurs « néoconservatrices » sont le complément spirituel logique d'une société capitaliste moderne) il apparaît en effet évident que l'accumulation du Capital (ou « Croissance ») ne pourrait se poursuivre très longtemps si elle devait s'accommoder en permanence de l'austérité religieuse, du culte des valeurs familiales, de l'indifférence à la mode ou de l'idéal patriotique. Il suffit d'ouvrir les yeux sur le monde qui nous entoure pour constater, au contraire, que la « croissance » ne peut trouver ses bases psycho-idéologiques réelles que dans *une culture de la consommation généralisée*, c'est-à-dire dans cet imaginaire « permissif », « fashion » et « rebelle », dont l'apologie permanente est devenue la principale raison d'être de la *nouvelle* gauche (et qui constitue parallèlement le principe même de l'industrie du divertissement, de la publicité et du mensonge médiatique). Comme le souligne ainsi Thomas Frank (*Pourquoi les pauvres votent à droite*, Agone, 2008, p. 184), « c'est le monde des affaires qui, depuis les plateaux de télévision, et toujours sur le ton hystérique de l'insurrection culturelle, s'adresse à nous, choquant les gens simples, humiliant les croyants, corrompant les traditions et fracassant le patriarcat. C'est à cause de la Nouvelle Économie et de son culte pour la nouveauté et la créativité que nos banquiers se gargarisent d'être des "révolutionnaires" et que nos courtiers en Bourse prétendent que la détention d'actions est une arme anticonformiste qui nous fait entrer dans le millénaire rock'n'roll ». C'est donc parce qu'une « économie de droite » ne peut fonctionner durablement qu'avec une « culture de gauche » que les *dictatures libérales* ne sauraient jamais avoir qu'une fonction historique limitée et *provisoire* : celle, en somme, de « remettre l'économie sur ses rails » en noyant éventuellement dans le sang (sur le modèle indonésien ou chilien) les différents obstacles politiques et syndicaux à l'accumulation du Capital. *À terme* c'est cependant le régime représentatif (dont l'ingénieux système électoral, fondé sur le principe de l'*alternance unique*, constitue l'un des verrous les plus efficaces contre la participation autonome des classes populaires au jeu politique) qui apparaît comme le cadre juridique et politique le plus approprié au développement intégral d'une société *spectaculaire* et *marchande* ; autrement dit d'une société en mouvement perpétuel dans laquelle, comme l'écrivait Marx, « tout ce qui avait solidité et permanence s'en va en fumée et tout ce qui était sacré est profané ».

ENTRETIEN *À CONTRETEMPS* RADIO LIBERTAIRE

– Pour vous situer le plus brièvement possible, je lirai la présentation qu'on trouve en quatrième de couverture de votre dernier ouvrage, L'Empire du moindre mal *(2007).* Essai sur la civilisation libérale *: « Agrégé de philosophie, Jean-Claude Michéa enseigne à Montpellier. Il est l'auteur de plusieurs ouvrages, tous publiés aux éditions Climats, parmi lesquels :* Orwell anarchiste tory *(1995),* L'Enseignement de l'ignorance *(1999),* Impasse Adam Smith *(2002, Champs-Flammarion, 2006),* Orwell éducateur *(2003). » Jean-Claude Michéa, puisqu'il faut bien commencer par quelque chose, une question d'ordre général : vous qui avez fait des études de philosophie, quels philosophes appréciez-vous et sur quel thème portait votre travail universitaire ?*

– J'ai étudié la philosophie à la Sorbonne entre 1967 et 1972. Du fait de l'époque, mais aussi de ma tradition familiale, Marx représentait alors le philosophe par excellence. J'ai donc, sans originalité aucune, consacré mon mémoire de maîtrise au « statut de la dialectique matérialiste dans l'œuvre de Marx ». Bien sûr, quand on doit enseigner la philosophie à des élèves, on s'intéresse forcément à d'autres penseurs. Dans mon panthéon personnel figurent ainsi, en bonne place, des auteurs comme Spinoza, Hobbes, Pascal, Rousseau, Hegel, ou Nietzsche. Mais je reste évidemment marqué par cette rencontre initiale avec Marx, même si je suis devenu par la suite nettement plus critique envers son œuvre.

– *Vous avez eu la tentation du communisme ?*

– « Tentation » n'est pas le mot exact ; la vérité est que je suis tout simplement né dedans ! Mes parents – qui s'étaient rencontrés dans la Résistance – étaient des permanents communistes de base : mon père comme journaliste sportif à *L'Humanité*, et ma mère comme sténotypiste à l'Union française d'information – l'agence de presse du Parti. Le communisme a donc été ma langue politique maternelle, pour le meilleur comme pour le pire.

– *Et vous, vous avez adhéré au PC ?*

– J'ai suivi la filière normale. J'ai tout d'abord navigué dans les organisations de jeunesse ; puis – après un passage de deux ans chez l'ennemi gauchiste (Œdipe et « Mai 68 » obligent) – j'ai rejoint le Parti en 1969. Beaucoup plus, d'ailleurs, en réaction au climat de chasse aux sorcières qui commençait à se développer dans les facultés tenues par les gauchistes [1] que par une véritable adhésion à la ligne du Parti. J'ai finalement quitté ce dernier en 1976, au terme d'une démarche dans laquelle les questions de politique internationale ont joué un rôle moteur. Il faut dire que depuis 1964, date de mon premier séjour en URSS, j'avais effectué de nombreux pèlerinages dans les pays du bloc soviétique, Cuba inclus. C'est la découverte du « socialisme réellement existant », davantage que toute autre considération, qui m'a progressivement amené à comprendre la nature du stalinisme et à rompre avec la vision du monde dans laquelle j'avais été élevé.

– *Et sur les camps – cette question essentielle du communisme et du XX*e *siècle –, vous saviez quoi ?*

– Vous vous doutez bien que ces séjours, évidemment très encadrés, ne m'ont pas permis de saisir d'un seul coup l'essence du communisme réel. D'autant que les Séguéla de l'Est étaient, dans leur genre, plutôt efficaces. Néanmoins, comme je parlais couramment le russe, j'ai peu à peu pris l'habitude de m'échapper des circuits officiels et de me rendre dans des lieux – je

1. Sur l'étrange climat de folie idéologico-sanguinaire, dans lequel certaines organisations gauchistes ont commencé à sombrer peu après 1968, on lira le chef-d'œuvre glacial de Morgan Sportès, *Ils ont tué Pierre Overney*, Grasset, 2008. Quant à l'arrière-plan humain de cette folie collective, on trouvera des informations passionnantes dans *Le Jour où mon père s'est tu*, Virginie Linhart, Seuil, 2008.

pense par exemple à Zagorsk, la capitale religieuse – qui étaient alors strictement interdits aux voyageurs occidentaux. Si je ne suis naturellement jamais tombé sur un camp de concentration, ces rencontres imprévues avec des travailleurs ordinaires m'ont permis de découvrir ce qu'était leur vie réelle, et donc la véritable nature de classe du pouvoir soviétique. À moins d'être volontairement aveugle, c'est-à-dire à moins d'être un simple croyant, il arrive toujours un moment où l'on finit par ouvrir les yeux. D'autres, comme Orwell ou Castoriadis, ont découvert cette réalité par une démarche différente, en exerçant simplement leur esprit critique ; et cela, sans même avoir besoin de se rendre en URSS.

– *Quand vous découvrez cette réalité, vous rompez avec le communisme ?*

– Seulement de façon progressive. Je sais que cela peut paraître étonnant aujourd'hui, mais il faut bien voir qu'à l'époque le Parti communiste constituait encore une réalité ambiguë. Si sa direction était profondément stalinienne, ses organisations de base fonctionnaient *en même temps* comme une véritable contre-société, offrant à beaucoup de travailleurs et de « gens ordinaires » (selon l'expression d'Orwell) un cadre politique efficace et socialement intégrateur. Dans les cellules de quartier ou d'entreprise on rencontrait donc souvent des hommes et des femmes d'une générosité et d'un courage incroyables (dont beaucoup, d'ailleurs, avaient participé aux combats de la Résistance), et qui n'auraient jamais songé un seul instant à considérer le Parti comme un tremplin pour une quelconque carrière personnelle. Quitter le Parti – et rappelons-nous qu'à l'époque il disposait d'une véritable base ouvrière et représentait encore près d'un électeur sur quatre –, ce n'était donc pas seulement négocier une rupture intellectuelle. C'était aussi s'engager dans un processus de rupture d'amitiés moralement et psychologiquement très éprouvant.

– Il y a très longtemps, lors de mes débuts à la SNCF, j'ai connu moi-même des militants de ce genre à la CGT…

– Mon père, Abel Michéa, en était un bon exemple. Militant communiste fidèle, il conservait pourtant une fibre anarchisante qui lui venait de sa fréquentation, dans les années d'avant-guerre, des milieux pacifistes. Du coup, c'était avant tout un joyeux épicurien – grand ami d'Antoine Blondin et de Louis Nucéra – profondément allergique à toute discipline idéologique (« c'est un zéro en politique », disait de lui Maurice Thorez) et qui mettait son point d'honneur à refuser toute ascension dans la hiérarchie du Parti, et même toute promotion sociale (alors que la « presse bourgeoise » lui faisait régulièrement des ponts d'or pour s'attacher ses services). Tout en demeurant sincèrement attaché – et jusqu'à la fin – à ce parti auquel il avait adhéré pendant les années du Maquis, il avait donc tenu à me transmettre les quelques principes qui résumaient sa morale politique – au premier rang desquels, bien sûr, la fidélité à ses origines populaires et son corollaire politique naturel : le *refus de parvenir*, pour reprendre l'expression rendue célèbre par Albert Thierry et les syndicalistes révolutionnaires. C'est d'ailleurs par respect pour ce principe moral élémentaire que j'ai toujours mis mon propre point d'honneur, à mon tour, à ne jamais *fuir* la classe de terminale au bénéfice, par exemple, d'une carrière universitaire, généralement estimée plus « noble ». Et je n'ai, évidemment, jamais regretté cette décision. Non seulement parce que l'enseignement secondaire représente un poste d'observation privilégié pour comprendre la jeunesse et le monde contemporains ; mais également parce que je sais trop bien à quel point il est difficile de préserver son indépendance d'esprit et sa lucidité intellectuelle, lorsqu'on a pris l'habitude d'enseigner la philosophie politique (et, plus encore, les « sciences sociales ») à l'ombre des privilèges matériels et symboliques de l'*Homo academicus*.

Tout cela pour vous dire que l'éducation familiale qui m'a été donnée – et qui n'avait absolument rien d'exceptionnel à l'époque – m'a rendu d'emblée très sensible aux implications morales de l'engagement politique. Il est clair qu'il doit exister un minimum de cohérence entre les idées généreuses que l'on affiche et la façon concrète dont on se comporte avec ses proches et, d'une manière générale, *dans sa vie quotidienne*. Sans même parler, naturellement, de la question philosophiquement décisive de la *nature réelle des revenus* qui définissent le fondement matériel de notre activité critique. Il existe forcément un niveau d'aisance matérielle à partir duquel penser *librement* devient une tâche réservée aux héros. C'est sans doute ce qui explique ma méfiance instinctive à l'endroit des « bourgeois bohêmes », de l'engagement politique ou « humanitaire » des stars du show-biz, ou de ceux qu'on appelait autrefois les « socialistes de la chaire ». Mais c'est un point sur lequel George Orwell a déjà presque tout dit.

– *Vous souvenez-vous de lectures marquantes lors de votre enfance et de votre adolescence ?*

– Autant que je me souvienne, j'ai appris à rêver à la fois dans *Le Grand Meaulnes* – comme beaucoup d'écoliers de ce temps – dans *L'Île mystérieuse* de Jules Verne et dans les aventures d'Arsène Lupin. Je vouais également un culte fanatique à Alphonse Allais, qui reste d'ailleurs pour moi l'un des plus grands stylistes de notre littérature. Mais le livre qui a le plus marqué mon adolescence était déjà politique : c'était le *Poème pédagogique* d'Anton Makarenko. Je ne sais pas si, de nos jours, ce nom évoque encore quelque chose. Makarenko était un pédagogue russe qui, durant les premières années de la révolution soviétique, s'était consacré avec une passion et un dévouement extraordinaires – au sein de la fameuse « communauté Gorki » – à la rééducation de jeunes délinquants et d'enfants abandonnés. Dans *Poème pédagogique*, il raconte comment – avec peu de moyens matériels, et guère plus d'encouragements de la part d'autorités soviétiques déjà largement bureaucratisées – il s'efforçait de réapprendre les valeurs du don, de l'amitié et de l'entraide (bref, de la morale socialiste) à ces jeunes déracinés que tout le monde s'accordait à considérer comme irrécupérables. On peut naturellement discuter sur tel ou tel point la méthode et les conceptions de Makarenko. Il est clair que nous ne vivons plus dans le même monde. Mais si son expérience pédagogique peut encore nous parler, c'est précisément parce que Makarenko a su imaginer les principes d'une pédagogie socialiste dans des conditions historiques, sociales et matérielles d'une difficulté extrême. En tout cas, c'est bien sa lecture qui, dès l'adolescence, a décidé de ma vocation d'enseignant. J'ajoute, mais vous vous en doutez bien, que ses méthodes pédagogiques humanistes seront, *dans les faits*, progressivement abandonnées par le pouvoir stalinien. Voilà une raison supplémentaire de lire *Poème pédagogique* et, d'abord, de le rééditer. Coline Serreau – qui, elle aussi, est une grande admiratrice de Makarenko – m'a, du reste, confié un jour qu'elle avait souvent rêvé de porter son œuvre à l'écran. Si jamais ce projet aboutissait, ce serait une magnifique occasion, pour les jeunes générations, de découvrir un homme qui incarnait ce qu'aurait pu être la révolution soviétique si les dérives autoritaires du léninisme, puis du stalinisme, n'avaient pas très rapidement détruit tout espoir d'édifier en Russie une *société décente*.

– *Et dans le domaine de la philosophie, quels furent les premiers penseurs que vous avez rencontrés, ceux qui vous ont marqué ?*

– Alors là, je m'en souviens comme si c'était hier ! Dans notre cité HLM, en effet, on pouvait se procurer les ouvrages des Éditions de Moscou à des prix défiant toute la concurrence « bourgeoise » de l'époque. Ils constituaient donc naturellement la base de la bibliothèque familiale. Le premier livre philosophique qui me soit ainsi tombé entre les mains – j'avais alors 14 ans –, c'est *Matérialisme et Empiriocriticisme*, un ouvrage écrit par Lénine peu après l'échec de la révolution de 1905. L'aspect mystérieux du titre m'avait immédiatement fasciné et je m'étais jeté dans cette furieuse polémique contre Mach et Avenarius (deux noms de philosophes qui me font rêver encore aujourd'hui) comme on se jette dans un roman de Jules Verne ou une bande dessinée de *Blake et Mortimer*. Je reconnais rétrospectivement que ce n'était peut-être pas la meilleure façon d'entrer en philosophie. Mais comme cette lecture avait le goût des « premières fois », elle m'a évidemment marqué à jamais. Après tout, à l'ère des mangas et des jeux vidéo, *Matérialisme et Empiriocriticisme* n'est certainement pas la pire des lectures adolescentes.

– *Et Nietzsche, cet auteur paradoxal par excellence ?*

– Oui, Nietzsche est un auteur absolument fascinant, précisément parce que sa critique de la modernité est toujours ambiguë, voire contradictoire. Mais ce qu'il y a surtout d'extraordinaire chez lui, c'est cette volonté constante – et toujours aussi « inactuelle » – de traquer l'individu réel qui cherche, en permanence, à s'abriter derrière la figure apparemment désincarnée du penseur ou du moraliste. « Qui parle ? » est la question nietzschéenne par excellence (et c'est généralement une question meurtrière quand vous avez l'occasion d'observer un idéologue de près). C'est d'ailleurs la raison pour laquelle il aimait se définir comme un « vieux psychologue et attrapeur de rats ». De ce point de vue, le parallèle s'impose avec l'œuvre de Dostoïevski (je pense évidemment, ici, au Dostoïevski des *Possédés*). Dans notre univers positiviste, la philosophie nietzschéenne représente donc une véritable bombe à retardement – et dont on n'a certainement pas fini de mesurer tous les effets. Mais, pour en revenir à votre première question, je dois avouer que c'est seulement en 1972, lorsque je suis devenu professeur de lycée, avec un programme précis à traiter, que j'ai vraiment commencé à m'intéresser aux penseurs non marxistes pour eux-mêmes…

– *Bien tard, alors…*

– J'avoue que je n'en suis pas très fier ! Naturellement, pendant mes années de Sorbonne, il m'avait bien fallu lire les grands philosophes. Mais en bon dogmatique, j'avais dressé un cordon sanitaire entre l'étude de Marx et celle des autres auteurs du programme. Dans le meilleur des cas, ceux-ci n'étaient que d'honorables « précurseurs » de l'auteur du *Capital*. J'ai honte à l'avouer, mais il m'a fallu beaucoup de temps pour comprendre que ces deux mondes n'étaient pas étrangers l'un à l'autre. Il est évident que Spinoza, Hegel ou Pascal – un auteur que je trouve personnellement d'une subtilité fantastique – sont des penseurs au moins aussi importants que Marx. Si leur lecture procure toujours une telle sensation de liberté et de fraîcheur, c'est même précisément parce qu'ils n'étaient pas encore des idéologues. Je veux dire par là qu'ils n'étaient pas des intellectuels entièrement soumis à une discipline de parti, et qui, de ce fait, ont d'abord une ligne à défendre avant même de songer à penser par eux-mêmes. Du coup, les philosophes classiques se situaient (en règle générale) beaucoup plus loin que nous de ces conflits d'ego (et donc de pouvoir) qui parasitent à présent la plupart des débats entre intellectuels institutionnels. Du reste, Marx lui-même – à la différence d'un Lénine – ne ressemblait guère à un idéologue. C'était, avant tout, un esprit libre (comme, plus tard, Antonio Gramsci), qui se souciait beaucoup plus de savoir si une idée était vraie ou fausse que de se demander dans quelle mesure elle était politiquement correcte. Son grand malheur, comme Nietzsche, c'est d'avoir eu des disciples. On sait qu'à la fin de sa vie il avait l'habitude de déclarer : « Moi, je ne sais qu'une chose, c'est que je ne suis pas marxiste. » La malédiction de Marx, c'est d'abord l'existence du marxisme, ou, plus exactement, celle du « marxisme-léninisme ».

– *En tout cas, son analyse de la plus-value est toujours valable. Deux cents ans après, quand on cherche à comprendre comment fonctionne une entreprise, il faut encore s'y référer, non ?*

– L'analyse de la marchandise (et la théorie de l'exploitation qui l'accompagne) est incontestablement l'une des parties les plus vivantes de l'œuvre de Marx – comme Anselm Jappe a eu le grand mérite de le rappeler. Il suffit de se promener cinq minutes dans une grande surface moderne pour comprendre immédiatement l'intérêt philosophique de la distinction entre valeur d'usage et valeur d'échange ou celui de la théorie du fétichisme. Je n'en dirai pas autant de l'hypothèse du matérialisme historique, qui ne représente, au fond, qu'une radicalisation des thèses libérales sur le primat de l'économie – telles qu'on les trouve déjà dans l'œuvre d'Adam Smith. Sur ce point, Cornelius Castoriadis a mis en lumière toutes les limites du déterminisme économique de Marx et de son idéalisation positiviste de la croissance et du progrès technologique et industriel. Limites qui ont naturellement beaucoup à voir avec les échecs ultérieurs de la politique léniniste et qui expliquent, entre autres, l'incapacité de cette dernière à construire autre chose qu'une *imitation d'État* du système capitaliste.

Mais sur l'analyse de l'exploitation elle-même, je suis d'accord avec vous. Il est clair – malgré tous les élégants discours qui prolifèrent de nos jours sur l'« économie immatérielle » ou le « capitalisme cognitif » – que *l'exploitation de l'homme par l'homme* n'a absolument pas disparu. Il suffit de se rendre dans une usine chinoise ou sur une plantation cotonnière d'Afrique équatoriale pour constater que le monde décrit par Dickens est toujours là. En réalité, on doit même dire que l'exploitation de l'homme par l'homme s'est partout renforcée, *y compris dans les pays occidentaux* – bien que ce ne soit pas toujours sous les formes que Marx avait imaginées. Qu'on songe, par exemple, à ce « management par le stress » qui se développe de toutes les manières possibles au sein des entreprises modernes, et dans lequel l'usure psychologique et nerveuse des travailleurs devient progressivement plus rentable, d'un point de vue économique, que leur pur et simple épuisement physique. Si j'ai cessé depuis longtemps de me définir comme marxiste, Marx occupe donc toujours une place importante dans ma bibliothèque – aux côtés des philosophes classiques que j'ai cités ou d'auteurs plus contemporains, comme Castoriadis, Pierre Clastres, Debord et quelques autres.

– *Et les auteurs contemporains vivants ?*

– Avant de passer aux vivants, j'aimerais quand même mentionner un auteur, disparu il n'y a pas très longtemps : Christopher Lasch…

– … *auquel vous vous référez souvent dans vos livres…*

– Oui, c'est un auteur assez extraordinaire. Chaque fois que je reprends un de ses textes, même écrit il y a trente ans, je suis toujours sidéré par l'actualité de ses analyses. Il est vrai que si le développement de la société libérale obéit bien à *une logique*, ce qui est ma thèse, il n'est guère surprenant que la vieille Europe finisse toujours par rencontrer, avec un temps de retard, les différentes révolutions culturelles qui ont marqué l'histoire du capitalisme américain.

Mais puisque vous me demandez de citer quelques auteurs qui sont encore vivants, je dirai que le mouvement philosophique qui m'a certainement le plus influencé – en dehors, bien sûr, de l'Internationale situationniste et de ses différents héritiers – c'est le Mouvement anti-utilitariste dans les sciences sociales (le « MAUSS »), qui regroupe, depuis 1981, autour de Serge Latouche et d'Alain Caillé, des dizaines de chercheurs et de militants de différents pays, dont les sensibilités politiques sont par ailleurs (c'est le moins qu'on puisse dire) extrêmement différentes. C'est dans leurs travaux, inspirés par les œuvres fondatrices de Marcel Mauss et de Karl Polanyi (œuvres longtemps ignorées, refoulées ou incomprises, du fait de la prégnance universitaire des idéologies structuralistes et « postmodernes ») que j'ai puisé mes premières connaissances sur l'anthropologie du don et sur la naissance de l'idéologie économique. J'éprouve également une immense admiration pour l'œuvre de René Girard, sans d'ailleurs toujours savoir comment l'intégrer concrètement à mes analyses. Et puis, il me faut bien citer cet électron libre extraordinaire qu'est Slavoj Zizek. C'est un des penseurs contemporains les plus stimulants qui soit – son usage politique de Lacan est fascinant – même si j'ai parfois du mal à le suivre dans toutes ses improvisations philosophiques tourbillonnantes. Voilà pour quelques-uns des vivants.

– *Jean-Claude Michéa, je vais vous poser une double question qui fait souvent sourire : pourquoi écrivez-vous et pourquoi publiez-vous ?*

– Je vais vous faire une confidence : j'ai toujours *détesté* écrire, ne serait-ce qu'une simple carte postale (ne parlons pas d'une lettre !). En bon Méditerranéen, je suis sincèrement convaincu qu'il faut être masochiste pour aimer se retrouver pendant des mois en tête à tête avec un ordinateur alors qu'un soleil magnifique vous attend dehors. Et je n'ai pas davantage cherché à être publié. Mon premier essai, *Orwell anarchiste tory*, est paru lorsque j'avais déjà 45 ans. Comme vous le voyez, le besoin de noircir du papier ou de voir mon nom sur la couverture d'un livre ne m'avait donc pas particulièrement travaillé. J'appartiens, en fait, à cette catégorie de gens normaux, heureusement très majoritaire, qui sont persuadés que pour vivre heureux il faut vivre caché.

Tout est donc parti, comme souvent dans ma vie, d'une histoire d'amitié. Alain Martin, que j'avais connu dans les années 1970 lorsqu'il travaillait pour Champ libre, avait créé en 1988 les éditions Climats, dont le siège se trouvait alors à Castelnau-le-Lez. Au début, c'était vraiment une entreprise artisanale, dont les bureaux se trouvaient d'ailleurs dans la maison même de Martin et de sa femme Françoise. Un jour, Alain retrouve tout à fait par hasard un petit texte consacré aux essais de George Orwell, que j'avais écrit une dizaine d'années plus tôt pour la revue *Critique* et dont nous n'avions plus, tous les deux, qu'un souvenir assez vague. Cette étude avait été refusée à l'époque par Jean Piel – le directeur de la revue – au prétexte qu'elle lui semblait d'une orthodoxie politique assez douteuse. Alain Martin, qui trouvait, au contraire, ce petit texte intéressant et toujours actuel, décide donc de le publier à quelques centaines d'exemplaires en me demandant simplement de lui adjoindre une brève postface. C'est ainsi qu'est né, en 1995, *Orwell, anarchiste tory*. Il va de soi que, de la part d'Alain, cette publication constituait d'abord un geste d'amitié et une manière symbolique de marquer le coup. De mon côté, je m'étais prêté au jeu parce que j'étais convaincu que ce premier livre serait également le dernier et que, cette parenthèse refermée, je pourrais aussitôt revenir aux choses importantes de la vie – dont, pour ce qui me concerne, l'écriture et les conférences ne font certainement pas partie.

Mais, contre toute attente, et grâce au bouche à oreille, ce petit ouvrage a fini par rencontrer un véritable écho. Si ma mémoire est bonne, le déclic a été un compte-rendu élogieux, paru dans *Le Canard enchaîné*, sous la plume combative de Jean-Luc Porquet. À partir de là, tout s'est enchaîné d'une manière qu'aujourd'hui encore je ne reconstitue pas très bien. Car c'est un fait que tous les livres qu'il m'a fallu écrire par la suite (avec toujours un pistolet sur la tempe) ont trouvé leur point de départ dans des circonstances au moins aussi accidentelles – voire rocambolesques – que le premier. Le seul fil conducteur que j'aperçois rétrospectivement entre toutes ces circonstances, c'est l'ombre mystérieuse de Martin. De moi-même, je n'aurais évidemment jamais eu l'idée d'écrire à nouveau la moindre ligne, préférant de loin les plaisirs du football, de l'amitié ou des plages montpelliéraines. Et chaque fois que je me retrouvais enfermé dans un bureau et livré au supplice de l'ordinateur, c'était toujours avec la sensation de m'être fait piéger une fois de plus par mon terrible bourreau – et néanmoins ami – Alain Martin.

– *Je vous propose maintenant de parler de* L'Empire du moindre mal. *D'où vous est venue l'idée de ce titre ?*

– Le titre est, naturellement, un clin d'œil aux nombreux ouvrages consacrés à l'« empire du Bien », ou à l'« empire du Mal ». Mais la véritable raison est bien philosophique. Jusqu'à l'époque moderne, en effet, les philosophes s'étaient toujours efforcés de décrire les conditions politiques de la meilleure société possible. Certains, comme les utopistes, projetaient même d'édifier une communauté parfaite. Or avec la politique moderne, et tout particulièrement avec le libéralisme, les choses vont changer du tout au tout. Les guerres de religion qui ont dévasté l'Europe du XVIe et du XVIIe siècle ont en effet été si cruelles, si meurtrières et si démoralisantes que les élites intellectuelles du temps en sont venues à désespérer des possibilités mêmes de la vie en commun ; elles ont commencé à penser que l'homme – loin d'être cet « animal politique » que célébrait Aristote – était, en réalité, un véritable loup pour ses semblables, selon une formule que Hobbes allait rendre populaire.

La nécessité de poser la question politique sur de nouvelles bases est née, en grande partie, de ce *traumatisme originel.* On pourrait, si l'on veut, comparer cette révolution philosophique avec ce qui se passe, de nos jours, lors des élections. Il y a déjà longtemps, en effet, que les classes populaires – quand d'aventure elles votent encore – ne choisissent plus le candidat qui devrait les conduire vers l'avenir radieux. Elles votent, en réalité, pour celui (ou celle) dont le principal mérite, à leurs yeux, est de barrer la route à un candidat estimé encore pire. Autrement dit, voter est devenu aujourd'hui, du moins *pour les classes populaires*, un acte essentiellement négatif : celui par lequel, entre deux maux politiques, on s'arrange pour choisir le moindre [1].

---

1. J'aurais pu tout aussi bien prendre l'exemple du football. L'idéal des entraîneurs libéraux – de Jacquet à Domenech – est, en effet, purement *négatif* : non plus construire pour gagner – comme dans le football populaire des années 1950 (par exemple, celui de la sublime équipe magyare de Gusztáv Sebes, entraîneur de génie qui se réclamait d'un « football socialiste ») – mais détruire pour *ne pas perdre* (autrement dit, *éviter le pire*). Le primat tactique actuel de la défense sur l'attaque – qui remonte à Helenio Herrera (entraîneur de l'Inter de Milan de 1960 à 1968) – de même que l'idée corrélative selon laquelle « le beau jeu est une *utopie* » (Aimé Jacquet), trouvent, évidemment, leurs véritables fondements culturels dans la soumission croissante de ce sport aux intérêts capitalistes et, par conséquent, à la logique libérale. C'est un point que François Thébaud (1914-2008) et ses amis de *Miroir du football* avaient merveilleusement expliqué, dès les années 1960. Et il suffit de voir comment fonctionne, de nos jours, la très libérale Fédé-

Toutes proportions gardées, c'est bien ainsi que les modernes, au XVIIe siècle, ont fini par envisager les choses. Leur vision de l'homme est devenue si négative – « l'homme est incapable de vrai et de bien » disait Pascal – que la philosophie politique s'est peu à peu réduite à l'art minimaliste de définir la « moins mauvaise société possible », c'est-à-dire celle qui éviterait aux hommes l'enfer de la guerre civile. De ce point de vue, l'originalité philosophique des libéraux est essentiellement d'avoir su pousser cette logique jusqu'à ses conclusions ultimes. Pour eux, la « moins mauvaise société possible » était celle dont les principes d'organisation ne dépendraient plus en quoi que ce soit de la moralité ou du civisme de ses membres ; tout appel à ces *vertus impossibles* (ou mensongères) ne pouvant, en effet, que réintroduire sur-le-champ les conditions de la guerre de religion et de la discorde civile.

Or, aux yeux des libéraux, la science moderne (celle que Galilée venait de fonder) possédait justement les moyens de donner corps à ce programme minimaliste. L'application de la méthode expérimentale aux questions humaines (c'est-à-dire l'analyse des hommes « tels qu'ils sont » et non plus tels qu'ils devaient être ») semblait, en effet, avoir établi que si l'on abandonnait le gouvernement de la société aux seuls *mécanismes* – supposés « neutres » et « impersonnels » – du Droit et du Marché (autrement dit, de l'*équilibre des pouvoirs* d'un côté et de la *loi de*

ration française de football pour comprendre à quel point leur analyse philosophique était juste.

l'offre et de la demande de l'autre) on obtiendrait de façon purement "naturelle", la paix civile, le maintien des libertés individuelles et, en prime, la richesse des nations.

Comme on le voit, derrière l'ensemble des montages politiques modernes (c'est-à-dire, en dernière instance, derrière l'idée positiviste que la politique « rationnelle » est essentiellement une physique des équilibres sociaux) il y a donc *d'abord* cette idée profondément pessimiste (et dont la première formulation systématique remonte aux théories augustiniennes et luthériennes du péché et de la chute) selon laquelle l'homme est par nature un être misérable, dont la conduite ne peut connaître que deux ressorts fondamentaux : la vanité et l'amour-propre, d'une part, et l'intérêt égoïste, de l'autre. Telle est d'ailleurs, comme on le sait, la thèse indéfiniment ressassée par La Rochefoucauld et les grands « moralistes » de l'époque (qu'il serait sans doute plus judicieux, de ce point de vue, de considérer comme des « démoralistes »).

Que la philosophie moderne se soit toujours présentée, depuis le XVIIe siècle, comme une philosophie du soupçon, du doute méthodique et de la défiance généralisée, n'a donc rien de surprenant. Pour un esprit moderne, en effet, croire que dans le monde tel qu'il est, la générosité, l'honnêteté, l'amitié ou l'amour pourraient correspondre à des vertus réelles, relève nécessairement d'un humanisme naïf et désuet, que les « sciences de l'homme » sont censées avoir démystifié depuis longtemps.

Le lien concret entre cette *image profondément négative de l'homme* et la philosophie politique moderne est facile à saisir. À partir du moment où l'on accepte ce type d'anthropologie, il n'y a effectivement plus le moindre sens à se demander quelles pourraient être les structures d'une société bonne, voire idéale ou parfaite. Un esprit « réaliste » devra, au contraire, se contenter d'établir à quelles conditions une communauté d'individus motivés par leur seul intérêt égoïste et leur seul amour-propre pourrait encore avoir la plus petite chance de survivre et même, éventuellement, de prospérer.

Ce point est philosophiquement capital. Il est, en effet, absolument *impossible* de comprendre les enjeux ultimes de la politique contemporaine (et donc l'essence du monde où nous vivons) si l'on oublie que derrière l'adhésion intellectuelle au libéralisme et à la modernité, il y a *toujours* l'acceptation préalable, consciente ou inconsciente, de cette anthropologie pessimiste et désespérée. En d'autres termes, il y a toujours le désir, plus ou moins avoué, de considérer *a priori* le voisin (ou l'ami, ou le proche) comme un pécheur corrompu et un être égoïste et calculateur, dont un esprit lucide a, dès lors, *toutes les raisons de se méfier.* Comme le soulignait Hobbes, le simple *fait* que nous fermons nos portes à clé est la confirmation quotidienne de cette anthropologie négative et de la philosophie du soupçon qui l'accompagne.

En revanche, il suffit de réintroduire une conception de l'être humain plus complexe et plus nuancée, d'admettre – par exemple – qu'il est tout autant capable d'aimer, de donner ou d'aider que de prendre, d'exploiter et de spolier – pour modifier d'un seul coup *tous* les paramètres de la philosophie politique dominante. De là, on y reviendra sûrement, l'importance fondamentale que George Orwell accordait à la *common decency*. L'idée, en effet, qu'il y aurait encore un certain nombre de valeurs morales spontanément partagées par une grande partie des classes populaires est nécessairement *mortelle* pour toute métaphysique libérale.

On pourrait d'ailleurs se demander dans quelle mesure ce n'est pas, précisément, cette représentation très sombre de l'être humain propre à la philosophie libérale, qui est en partie responsable de la fascination caractéristique des intellectuels modernes pour le crime et la délinquance (du marquis de Sade à Jacques Mesrine) ou – dans l'univers de la fiction – pour le *roman noir* et des personnages comme ceux d'*Hannibal Lecter*. Une telle hypothèse permettrait, par exemple, d'éclairer d'un jour nouveau la question des liens, dans l'œuvre de Michel Foucault, entre son livre clé sur Pierre Rivière [1] (et, d'une manière générale,

1. Michel Foucault, *Moi, Pierre Riviere, ayant égorgé ma mère, ma sœur et mon frère*, Gallimard, 1973. Ce qui est sûr, c'est que l'usage répétitif de la structure de ce titre par les journalistes de *Libération* (« Moi, Jean Dupont, ayant etc. ») montre à quel point ce livre de Foucault a marqué en profondeur l'inconscient « libéral-libertaire ». On peut également retrouver des traces évidentes de cette fascination moderne pour le *côté noir de l'homme*, dans toutes les apologies libérales de l'« ange rebelle » ou du *bad boy*, qui caractérisent traditionnellement l'imaginaire de la bourgeoisie

sa fascination pour les délinquants et les criminels) et le développement de ses idées libérales-libertaires.

Quant à moi, si je m'en tiens à ma seule expérience, j'aurais plutôt tendance à penser qu'une telle vision de l'âme humaine est profondément infantile et réductrice. Je me demande même parfois si elle ne relève pas tout simplement, chez beaucoup d'esprits modernes, d'un très banal phénomène de *projection*, au sens psychanalytique du terme (bien des intellectuels étant effectivement portés à juger de la nature de l'être humain à l'aune de leurs carences morales personnelles). Mais sans doute est-ce moi qui ai été beaucoup trop naïf en ne me *méfiant* pas suffisamment de mes voisins et de tous ceux que j'aime.

– *Existe-t-il une différence entre l'idée de départ de votre livre et ce qu'il est devenu ? Les notes, par exemple, semblent ouvrir sur d'autres développements.*

– On ne peut pas se lancer dans l'écriture d'un essai philosophique sans disposer à l'avance d'un fil conducteur précis, c'est-à-dire sans avoir défini les moments les plus importants de l'intrigue conceptuelle. Je sais donc toujours d'où je pars et à peu près où je vais. Mais l'écriture est aussi une aventure et une création ; c'est pourquoi j'éprouve un besoin

---

« bohème » et de la « culture jeune » (particulièrement depuis le mythe fondateur de James Dean). Sur l'anthropologie pessimiste de Hobbes et des modernes, on se reportera au n° 31 de la *Revue du Mauss* (premier semestre 2008) entièrement consacré à la question : *L'homme est-il un animal sympathique* ?

permanent de prendre appui sur le système des scolies et des notes. C'est le seul moyen que j'ai trouvé qui me permette d'échapper à tout moment aux contraintes du programme initial.

– *Ce système semble remplacer la fiction chez vous ; il vous permet, en tout cas, de passer d'un sujet à un autre, le tout étant lié. De ce point de vue-là, votre écriture est très particulière.*

– Mon premier modèle, c'est l'*Éthique* de Spinoza, dont la construction, comme on le sait, est double : d'une part une scène officielle où les propositions s'enchaînent de façon froide et rationnelle ; et de l'autre, en coulisse, des « scolies » qui partent apparemment dans tous les sens, mais qui finissent par dessiner un second texte, beaucoup plus vivant et polémique. Mais cette manière ramifiée d'écrire tient tout autant à ma conception « dialectique » de l'histoire, pour reprendre un mot aujourd'hui tombé dans l'oubli. Un esprit dialectique est, en effet, toujours travaillé par le désir de tout dire à la fois. Pour lui, par définition, chaque moment singulier d'un processus ne peut prendre son sens définitif qu'une fois la logique de ce processus exposée dans sa totalité. C'est ce que Marx voulait dire lorsqu'il écrivait, par exemple, que l'anatomie de l'homme était la clé de l'anatomie du singe. Or comme tout dire à la fois est impossible dans le cadre d'une écriture linéaire (du moins quand on ne s'appelle pas Hegel ou Marx) j'ai fini par choisir cette forme d'exposition arborescente que l'on peut effectivement rapprocher de certains procédés littéraires (et qui doit malheureusement décourager beaucoup de lecteurs). Encore que j'aurais, personnellement, plutôt tendance à y voir une structure musicale. Lorsque j'écris, j'ai en effet toujours dans l'oreille une sorte de rythme à la Charlie Parker ou à la John Coltrane ; autrement dit, quelque chose comme une structure à la fois claire et chaotique, progressive et répétitive, avec des plages de lenteur et des accélérations brutales. Le processus que j'essaye de décrire ici est, bien entendu, très fantasmé. À vrai dire, le contrôle des opérations commence à m'échapper dès l'instant où je m'assois devant l'ordinateur. J'imagine d'ailleurs qu'il en va de même dans toutes les activités où entre en jeu un certain degré de créativité. Je suis sûr, par exemple, que dans la mise en scène cinématographique ou dans l'écriture romanesque, on retrouve toujours ces deux dimensions corrélées en permanence : d'un côté une ligne directrice à peu près maîtrisée, et de l'autre, serpentant autour d'elle, tout ce qui surgit spontanément de la mise en œuvre elle-même – et dont l'auteur n'est, le plus souvent, que le premier témoin. De toute façon, ces théorisations après coup n'ont pas beaucoup d'importance : le fait est que je suis incapable d'écrire autrement.

– *Mais concrètement, comment écrivez-vous ? Dans quel ordre ? Les chapitres d'abord et les notes ensuite ?*

– J'appartiens à cette catégorie de névrosés pour qui écrire c'est d'abord raturer. J'essaye par conséquent de travailler chapitre par chapitre, en procédant chaque fois selon la méthode des cercles concentriques. Au départ il y a donc un jeu de brouillons – toujours écrits à la main – et qui contiennent les quelques idées que j'ai réussi à solidifier, au terme de mes premières recherches. À partir de là, l'ordinateur entre en jeu et le supplice commence. Je n'arrête plus de développer ce magma originel par vagues successives jusqu'au moment où la pâte théorique prend progressivement forme et où je parviens à obtenir quelque chose qui n'est pas trop éloignée de la cohérence recherchée. Pour peu qu'on ait, comme disait Orwell, « le goût des mots précis » c'est là un travail éprouvant, dont pendant très longtemps on se demande s'il a un sens et s'il pourra vraiment aboutir. À la fin, le résultat est évidemment très différent du texte initial. Puis, quand le chapitre sur lequel je travaillais semble terminé (ce qui est généralement une illusion) j'attaque le suivant, toujours selon le même mode de construction en spirale. Et ainsi de suite. Si vous ajoutez qu'il y a forcément des moments où il faut tout reprendre à zéro, parce qu'un problème théorique est apparu entre-temps (par exemple une nouvelle lecture ou de nouveaux faits) vous comprendrez pourquoi je pense qu'il faut vraiment avoir de sérieuses dispositions chrétiennes pour se lancer dans l'écriture d'un livre de philosophie. Le problème, c'est qu'elles me font globalement défaut (ce dont je ne tire, d'ailleurs, aucune fierté particulière). Mais peut-être qu'un psychanalyste aurait là-dessus un point de vue différent.

– *Vous aimeriez écrire un livre de fiction ?*

– Comme bien des philosophes, j'éprouve, naturellement, un profond complexe d'infériorité à l'égard des romanciers et des artistes (du moins quand ce sont de véritables artistes, mais ceci est un autre problème). J'aurais tendance à penser, avec Nietzsche, que seul l'art peut traduire exactement la substance même des choses et la singularité de la vie humaine. Savoir décrire, comme le fait Joyce, vingt-quatre heures de l'existence d'un individu ordinaire, voilà ce dont aucun philosophe (sauf peut-être Hegel, qui était tout sauf un penseur abstrait) ne m'a jamais paru capable. Je suis donc absolument convaincu qu'il est beaucoup plus difficile d'écrire *Le Rouge et le Noir* (ou même *L'Île au trésor*) que la *Critique de la raison pure* ou le *Tractatus logico-philosophicus*. Bon, en même temps je sais bien que l'herbe est toujours plus verte à côté. Je connais ainsi des romanciers, comme mon génial ami Alain Monnier, qui me tiennent régulièrement le discours inverse. Je conclurai donc d'une façon désespérément banale en disant que la solution idéale serait évidemment de pouvoir donner une forme conceptuelle précise à tous nos sentiments, tout en étant simultanément capables, selon la belle formule de Hegel, de conférer « une forme sensible à la présence de l'Idée ». Mais tout le monde n'est pas Diderot ou Orwell.

– *Un peu ce que Nietzsche a fait dans* Zarathoustra*…*

– Oui, encore que je ne sois pas très sûr que Nietzsche aurait écrit de bons romans ! Quoi qu'il en soit, je ne peux que répéter la même chose : il m'apparaît *évident* qu'il y a bien plus de vie philosophique dans un roman de Flaubert, de Stevenson ou de Virginia Woolf que dans la *Théodicée* de Leibniz ou le *Cours de philosophie positive* de Comte. Marx disait d'ailleurs que le véritable *Capital* avait déjà été écrit par Balzac. On est donc bien d'accord : tant qu'à écrire un livre, autant écrire un livre de fiction. Mais, comme disait Bergson, nul n'est jamais tenu d'écrire un livre.

– *Venons-en à votre* Empire du moindre mal. *Une question de définition d'abord : quelle différence existe-t-il entre libéralisme et capitalisme ? Autrement dit, ce qu'on appelle libéralisme aujourd'hui, ne serait-ce pas ce qu'on nommait capitalisme hier ?*

– Il est effectivement symptomatique que le mot « capitalisme » ait quasiment disparu du vocabulaire politique contemporain au moment précis où la gauche commençait à se réconcilier avec la chose désignée par ce mot. Cela dit, cette question terminologique, en elle-même, est assez secondaire – comme le prouve d'ailleurs le fait que Marx lui-même n'a presque jamais employé ce terme (c'est surtout Werner Sombart et Max Weber qui ont contribué à en généraliser l'usage). L'important, c'est de voir que le capitalisme (ou, si vous préférez, la civilisation libérale) représente un « fait social total ». Il ne saurait *en aucun cas* être réduit à une simple forme d'organisation économique de la société – et, *a fortiori*, à un simple mode particulier d'appropriation des « grands moyens de production ». C'est précisément cette réduction « économiste » (ou « juridiste ») du capitalisme qui constitue la principale racine *intellectuelle* de toutes les mésaventures politiques répétées de la gauche et de l'extrême gauche contemporaines (mésaventures qui ont, naturellement, bien d'autres causes historiques que cette « erreur » théorique). Ces dernières sont, en effet, devenues globalement incapables de comprendre que le système capitaliste mondial s'effondrerait en quelques semaines si les individus cessaient brutalement d'intérioriser en masse – et à chaque instant – un *imaginaire* de la croissance illimitée et une *culture* de la consommation, vécue comme le fondement privilégié de l'image de soi [1]. En dehors de quelques

1. Précisons ce point une fois pour toutes : le concept de « société industrielle de consommation » (c'est-à-dire de système capitaliste *développé*) n'a jamais désigné une société dans laquelle *tous* auraient les moyens matériels effectifs de consommer les produits du travail collectif. Il désigne seulement une société dans laquelle *tous* sont quotidiennement sommés par la propagande publicitaire et l'industrie du divertissement de *désirer* la totalité des marchandises (totalité en renouvellement perpétuel et dont l'obsolescence est méthodiquement programmée) dont la possession est supposée constituer le signe même de l'intégration « réussie » à cette société. Comme Slavoj Zizek l'a souligné à plusieurs reprises, le *désir moderne de consommer* a donc une structure parfaitement circulaire : *il est catégoriquement impératif de consommer à seule fin de montrer que l'on consomme* (cette structure circulaire – ou mimétique – trouve naturellement sa forme accomplie dans *le système de la mode*, qui constitue, de ce fait, le *centre*

mouvements pour l'instant encore marginaux – comme ceux, par exemple, des « objecteurs de croissance », des « résistants à l'agression publicitaire », des défenseurs de l'agriculture paysanne, ou des « antijournalistes » du *Plan B* – on aurait désormais le plus grand mal à trouver dans les programmes et les actions de la gauche moderne la moindre trace d'une remise en question un peu sérieuse de ce que Debord avait appelé – il y a quarante ans – la « société du spectacle ».

Ce silence philosophique est tout à fait étonnant. Dans les années 1950 et 1960, l'idée qu'il était devenu impossible de critiquer les nouveaux développements du capitalisme sans remettre simultanément en cause la « société de masse » et les nouvelles formes de vie quotidienne qui lui correspondaient, était, au contraire, *au centre* de toutes les analyses radicales – que ce soit aux États-Unis ou en France. C'est même la raison pour laquelle, dans ces analyses, la théorie de l'aliénation (ou de la « réification ») occupait une place si importante, comme on pourra s'en convaincre en relisant les ouvrages de l'époque – aussi bien ceux de la sociologie critique américaine (de David Riesman à Vance Packard) que ceux de l'École de Francfort, de Jacques Ellul,

nerveux ultime de tout capitalisme développé). Une société de consommation se définira par conséquent beaucoup moins par le « pouvoir d'achat » réel qu'elle concède au plus grand nombre, que par la puissance effective de son *imaginaire* central (et c'est, bien entendu, en ce sens qu'elle peut également être définie comme une « société du spectacle »).

d'Henri Lefebvre, d'Ivan Illich, d'Herbert Marcuse ou encore de l'Internationale situationniste.

Or qu'en est-il aujourd'hui ? À lire les programmes de la gauche et de l'extrême gauche françaises on en retire la curieuse impression qu'une société socialiste (quand d'aventure ce terme « archaïque » est encore employé), ce n'est fondamentalement rien d'autre que la continuation tranquille du mode de vie présent, tempérée d'un côté, par une répartition plus équitable des « fruits de la croissance » et de l'autre, par une exhortation perpétuelle à lutter contre « toutes les formes de discrimination et d'exclusion », que celles-ci, d'ailleurs, soient réelles ou purement fantasmées [1]. Avec en prime, cela va de soi, juste ce qu'il faut de « démocratie participative » pour permettre aux individus (on n'ose plus dire au « peuple ») de se donner plus facilement des maîtres de gauche.

Entendons-nous bien. Je ne nie évidemment pas un seul instant la légitimité d'une politique de redistribution plus favorable aux classes populaires – et encore moins le caractère absolument révoltant des

---

1. Dans l'une de ses ultimes lettres, Guy Debord soulignait que « les actuels moutons de l'intelligentsia » ne « connaissent plus que *trois* crimes inadmissibles, *à l'exclusion de tout le reste* : racisme, antimodernisme, homophobie ». Il me semble qu'il donne là une description parfaite de l'univers mental des « nouvelles radicalités » (ou, en d'autres termes, de *l'extrême gauche libérale* et de ses innombrables prolongements associatifs, médiatiques et universitaires). *Cf.* Guy Debord, « Lettre à Michel Bounan du 21 avril 1993 », in *Correspondance*, vol. 7, Fayard, 2008, p. 407.

nouvelles formes de paupérisation et de précarisation qui se développent de nos jours. J'insiste seulement sur le fait qu'une telle politique – qui n'est, en somme, que la traduction des exigences *syndicales* les plus élémentaires – n'offre *par elle-même* aucun moyen de sortir de la *cage d'acier* du système capitaliste. Comme le disait, à sa manière, Rosa Luxemburg, « L'essentiel, ce n'est pas que les esclaves soient mieux nourris ; c'est d'abord qu'il n'y ait plus d'esclaves. » Or, encore une fois, aucun *démontage* cohérent du mécanisme libéral ne pourra être sérieusement envisagé tant que l'on refusera de remettre en question l'ensemble des manières de vivre aliénées qui sont structurellement liées à l'imaginaire capitaliste d'une croissance et d'une consommation illimitées.

L'un des principaux gourous de la manipulation publicitaire contemporaine, Bruno Walther [1], se vantait récemment – je cite ses formules telles que je les ai trouvées dans le journal *La Décroissance* – d'avoir été l'un des *évangélisateurs de la société de consommation*, d'avoir contribué à *transformer le prolétaire en*

1. Grand spécialiste des « cyber-manifestations », cet ancien directeur de cabinet de Brice Lalonde (et animateur du mouvement lycéen de 1990) a notamment réalisé la campagne Internet de Jacques Chirac, lors des élections présidentielles de 2002. Il a également été président de l'agence de publicité américaine *Draft-FCB* – dont le vice-président, soulignons-le, n'est autre que l'excellent Stéphane Pocrain, ancien porte-parole de Noël Mamère, et cofondateur du CRAN (Conseil représentatif des associations noires). On déduira de toutes ces coïncidences soit que le monde libéral est décidément très petit, soit que la *double pensée* est bien la loi réelle de ce monde.

consommateur et d'avoir *inventé et diffusé la culture du « je consomme donc je suis »*. C'est pour cela, se plaignait-il, *que nous sommes aujourd'hui si durement attaqués*. Le moins qu'on puisse dire, c'est que ces attaques – si attaques il y a – ne viennent certainement pas de la gauche ou de l'extrême gauche françaises (Bruno Walther est, du reste, le fondateur du label rap *Évolution banlieue*). Contrairement aux radicaux des années 1960, celles-ci ont, en effet, parfaitement intégré l'idée selon laquelle la solution de tous les problèmes politiques modernes dépendrait, en dernière instance, de notre capacité technologique et industrielle à produire *n'importe quoi*, dès lors que ce n'importe quoi apparaît susceptible de trouver des acheteurs à l'autre bout du monde ou de créer ici quelques *emplois* (quand bien même ces emplois ne correspondraient à aucune profession sérieuse ou utile). Cette façon purement quantitative (ou « économiste ») d'envisager les choses implique évidemment qu'on laisse de côté toute réflexion morale et philosophique sur le sens et la valeur de ce que l'on est *amené* à produire et, par conséquent, sur le sens et la valeur de nos manières de vivre (en dehors, naturellement, de quelques banalités consensuelles – et éventuellement rentables – sur la nécessité de « protéger la planète » dans « l'intérêt de nos enfants »). Il devrait pourtant sauter aux yeux qu'un tel renoncement à s'interroger sur les conditions mêmes d'une existence humaine digne de ce nom, est devenu, du coup, extrêmement difficile à distinguer du vieil idéal libéral de « neutralité axiologique » [A]. Le commerce international peut ici nous servir d'exemple.

Tout le monde sait bien, en effet, qu'à partir du moment où il apparaît économiquement rentable d'investir dans telle ou telle dictature du tiers-monde, les politiciens libéraux – et les hommes d'affaires qui les commanditent – s'empressent aussitôt de jeter aux orties les belles proclamations humanistes dont ils ont l'habitude de décorer leurs mensonges électoraux. Seulement on ne voit pas *au nom de quoi* les partisans de gauche de la croissance (même rebaptisée « développement durable ») auraient *encore* à se comporter autrement. Quand, par exemple, Mitterrand refusait de recevoir officiellement le dalaï lama – afin de ne pas compromettre nos investissements capitalistes en Chine – ou quand Yahoo, pour des raisons similaires, n'hésitait pas à remettre à la police politique chinoise une liste d'internautes dissidents, il n'est pas impossible qu'un « socialiste libéral » (bel oxymore [1] !) ait éprouvé, en tant qu'individu privé, un certain malaise psychologique – et peut-être même moral. Mais au fond de lui-même, il avait déjà nécessairement admis – comme le premier Attali venu – que la dure loi du marché mondial a toujours été *business is business* ; et que, dans ces conditions, ces entorses à la décence la plus élémentaire ne constituent rien d'autre que *le prix*

1. Outre les ouvrages classiques de Monique Canto-Sperber, on peut également se reporter au petit livre de Serge Audier (*Le Socialisme libéral*, La Découverte, 2006), tout entier animé par cette exaltante question : « Que pourrait être une position socialiste libérale au XXIe siècle ? » Il nous semblait pourtant que la réponse figurait malheureusement sous nos yeux, depuis au moins un quart de siècle.

à payer pour gagner ces quelques points de croissance supplémentaires dont il attend, par ailleurs, le salut et la rédemption de l'humanité tout entière. Tout le monde sait bien, depuis Mandeville, que les « vices privés » sont la condition première des *public benefits* – ou, si l'on préfère, que le « paradis » libéral, à la différence de l'enfer totalitaire, est *consciemment* pavé de mauvaises intentions.

Les évolutions politiques des trente dernières années étaient donc tout ce qu'on veut, sauf imprévisibles. En renonçant d'emblée à critiquer les axes fondamentaux de la *culture capitaliste* contemporaine – culture qu'elle assimile d'ailleurs, le plus tranquillement du monde, à l'évolution inévitable des mœurs – la nouvelle gauche se condamnait d'elle-même à la seule conclusion politique possible de ce refus : la nécessité d'avaliser, *tôt ou tard*, le dogme libéral par excellence, qui veut que la croissance économique soit un phénomène « naturel » et philosophiquement neutre ; la politique ne commençant, dans le meilleur des cas, qu'avec la question du « pouvoir d'achat » des électeurs, ou (pour les plus radicaux) avec celle de la répartition équitable des fruits de cette croissance. Ce qui était déjà, au XIXe siècle, la position d'un libéral comme John Stuart Mill.

– *Plusieurs sensibilités semblent cohabiter en vous, Jean-Claude Michéa ; alors la question s'impose : politiquement, comment vous situez-vous ?*

– Oui, vous avez raison, je dois être structuré comme une poupée russe ! Je me définirai, pour commencer, comme un « socialiste » au sens que ce mot avait, au début du XIXe siècle, dans les écrits de Pierre Leroux ou du jeune Engels (avant qu'il ne soit contaminé par la téléologie progressiste de Marx). En d'autres termes, je demeure convaincu qu'il n'y a rien d'utopique à défendre le principe d'une *société sans classe* [B], fondée sur les valeurs traditionnelles de l'esprit du don, de l'entraide et de la *philia* (pour employer le terme par lequel les anciens Grecs désignaient toutes les formes de bienveillance réciproque). Je suis donc, de ce point de vue, définitivement hostile à tous ces programmes de « modernisation » ou de « rationalisation » de l'existence humaine, qui conduisent à encourager, d'une manière ou d'une autre, l'égoïsme calculateur et les formes purement *antagonistes* de la rivalité (car en tant qu'amoureux du sport – cette activité en voie de disparition accélérée – je sais qu'il existe aussi, dans la vie, des formes positives et amicales d'émulation).

Je me définirais ensuite – ce n'est naturellement pas incompatible – comme un démocrate radical, c'est-à-dire comme quelqu'un qui pense que la démocratie ne saurait être confondue avec le régime représentatif[1]. La logique de ce dernier le conduit,

1. Les premiers libéraux étaient parfaitement conscients de cette distinction fondamentale. Et ils avaient encore suffisamment d'honnêteté intellectuelle pour la présenter comme telle. « Les citoyens – écrivait, par exemple Sieyès – peuvent donner leur confiance à quelques-uns d'entre eux. Sans aliéner leurs droits, ils en commettent l'exercice. C'est pour l'utilité commune qu'ils se nomment des représentations bien plus capables qu'eux-mêmes de connaître l'intérêt général, et *d'interpréter à*

en effet, de façon inexorable, à déposséder le peuple de toute souveraineté réelle au profit d'une caste de politiciens *professionnels*, technologiquement assistée par des « experts » autoproclamés. Le récent référendum sur la Constitution européenne en offre une illustration chimiquement pure. La procédure référendaire représentait, en effet, au sein des institutions représentatives (ou libérales) l'une des toutes dernières traces de *l'intervention directe* du peuple. Il aura donc suffi que le peuple français rejette sans la moindre ambiguïté un traité qui visait à constitutionnaliser les dogmes essentiels du capitalisme, pour

---

cet égard leur propre volonté. L'autre manière d'exercer son droit à la formation de la loi est de concourir soi-même immédiatement à la faire. Ce concours immédiat est ce qui caractérise la véritable *démocratie*. Le concours médiat désigne le *gouvernement représentatif* » (Discours du 7 septembre 1789). Notons que le principe fondateur du régime représentatif était donc, dès l'origine, la capacité accordée à une élite d'« interpréter » la volonté du peuple *à sa place*, et *mieux que lui*. De même que le premier *macho* venu sait d'avance qu'une femme qui lui a dit *non* voulait en réalité lui dire *oui* – de même, un dirigeant européen moderne (ou une dirigeante) sait d'avance que le *non* d'un peuple est toujours un *oui* qui s'ignore ; et qu'il est, par conséquent, inutile d'en tenir compte et *a fortiori* absurde de déranger le peuple pour si peu. À la suite de Pascal Perrineau, on appellera d'ailleurs « populiste » tout autre avis sur la question (il est vrai que ce noble défenseur du libéralisme estime désormais que « l'extrême gauche *anticapitaliste* devrait faire l'objet du même interdit que l'extrême droite ; y compris au niveau local » (*Le Nouvel Observateur*, 3 juillet 2008). Il est sûr qu'avec de telles précautions, les mauvaises surprises électorales deviendraient moins fréquentes).

que la quasi-totalité des « représentants du peuple » – qu'ils soient de gauche et de droite – s'empressent sur-le-champ de bafouer cette volonté populaire et d'imposer par des voies détournées le traité rejeté. Voilà qui donne une fois pour toutes la mesure véritable du pouvoir dont dispose le peuple dans une « démocratie » libérale. Et reconnaissons qu'il aurait fallu être d'une naïveté à toute épreuve pour imaginer *un seul instant* que la nomenklatura européenne (à commencer par l'euro-député Cohn-Bendit – convaincu, selon ses mots, que « les référendums nationaux constituent des instruments inadéquats pour décider des questions européennes ») aurait pu accepter *sans réagir* la moindre remise en cause du système capitaliste par la volonté populaire [1].

Si par démocratie on doit entendre le « gouvernement du peuple, par le peuple et pour le peuple », il est donc absolument clair que les régimes représentatifs modernes n'en constituent qu'une version extrêmement *appauvrie*, et même, dans certains cas, purement *formelle*. D'un point de vue strictement philosophique, il serait assurément plus exact de définir ces régimes comme des « oligarchies libérales », selon l'heureuse expression de Castoriadis (ou encore comme des « aristocraties électives », si l'on préfère la terminologie de Rousseau).

1. Pour qui a compris l'essence de la logique libérale, un certain nombre de *pronostics* politiques deviennent évidemment d'une simplicité enfantine. S'il s'avérait, par exemple, que le peuple irlandais (ou tout autre peuple) refuse le nouveau traité de Lisbonne, on peut dès à présent avancer *sans le moindre risque* que la nomenklatura européenne trouvera

Ce point précisé, je m'empresse aussitôt d'ajouter que ces oligarchies libérales ne peuvent *en aucun cas* être assimilées à des dictatures – comme certains militants de la gauche extrême sont de plus en plus tentés de le penser – sous l'influence de théoriciens à la Alain Badiou (dont on sait pourtant dans quel profond mépris Guy Debord tenait son œuvre) ou d'associations *parisiennes* suffisamment délirantes (ou incultes) pour considérer l'État français actuel comme fondamentalement « fasciste » et « raciste » [C]. Il serait effectivement *absurde* de nier qu'une oligarchie libérale garantit à ses sujets – moyennant, il est vrai, une quantité croissante de bavures – un certain nombre de libertés individuelles dont les Coréens du Nord ou les femmes d'Arabie Saoudite ne peuvent même pas rêver. C'est évidemment un avantage politique tout à fait décisif que de pouvoir discuter ici entre nous sans avoir à craindre qu'une police politique débarque à l'improviste et nous envoie tous les trois dans un camp de rééducation.

Pour autant, il serait, encore une fois, tout aussi absurde de soutenir que dans nos sociétés libérales, le pouvoir politique est *réellement* exercé par le peuple. Comme l'écrivait Debord, les droits dont nous disposons sont essentiellement des droits de « l'homme spectateur ». En d'autres termes, nous sommes globalement libres de critiquer le film que le système a choisi de nous projeter (ce qui pour un peuple frondeur n'est

---

très rapidement les moyens juridiques de passer outre et d'imposer à nouveau *sa seule volonté*.

jamais un droit négligeable). Mais nous n'avons strictement aucun droit d'en modifier le scénario, et cela que nous apportions nos voix à un parti de droite ou à un parti de gauche. L'affaire du référendum devrait ici avoir convaincu les derniers naïfs.

Cependant, même dans l'hypothèse où l'on parviendrait enfin à mettre en place des institutions réellement démocratiques (ce qui exigerait déjà que le contrôle des puissances d'argent sur le monde des médias soit intégralement aboli) il resterait encore un certain nombre de questions non résolues. C'est ici qu'entre en jeu la dimension proprement anarchiste du problème, en prenant le mot « anarchisme » au sens que lui donnait George Orwell. Pour comprendre ce point, on peut, par exemple, s'appuyer sur l'analyse donnée par Pierre Clastres de certaines sociétés dites « primitives » d'Amérique du Sud. Nous avons là, en effet, des sociétés extrêmement égalitaires (si on veut bien laisser de côté la question du statut des femmes) et qui s'arrangent de toutes les façons possibles – y compris en recourant à la guerre rituelle contre leurs voisins – pour prévenir l'apparition de l'État et l'installation d'une coupure politique entre dominants et dominés. Or Pierre Clastres est bien obligé de constater que, même dans de telles sociétés, on rencontre inévitablement des individus que leur besoin obsessionnel d'être admirés ou obéis pousse à vouloir occuper la position de *number one* (et comme les structures de ces sociétés sont égalitaires, il semble infiniment probable qu'un tel besoin trouve ses racines dans l'histoire *personnelle* des sujets [1]). Clastres est ainsi conduit à examiner les différentes stratégies auxquelles ces sociétés recourent afin d'apprivoiser le désir de pouvoir de ces narcisses ambitieux et d'en *neutraliser* les effets politiques les plus dissolvants [2].

---

1. On ne doit pas oublier, par exemple, que dans les sociétés guerrières traditionnelles la mort prématurée du père est un phénomène courant.

2. Il est assez symptomatique que l'une des attaques les plus violentes contre l'anthropologie anarchiste de Pierre Clastres soit précisément venue d'Emmanuel Terray (« Une anthropologie politique ? », in *L'Homme*, n° 110, avril 1989), ex-doyen de la faculté des lettres d'Abidjan (l'homme blanc sait toujours se placer), grande figure des « nouvelles radicalités » parisiennes, et auteur, dans sa période stalino-althussérienne, d'un ouvrage particulièrement aberrant sur *Le Marxisme et les Sociétés primitives* (Maspero, 1969). À ceux qui s'étonneraient malgré tout de la véhémence de cette charge idéologique contre un anthropologue accordant au « désir de pouvoir » une valeur explicative essentielle, on pourra toujours leur conseiller de lire les incroyables *Lettres à la fugitive* (Odile Jacob, 1988), ouvrage écrit *un an plus tôt* par le même Emmanuel Terray, dans l'espoir (très adolescent) que cette publication pourrait convaincre la femme qui venait de le quitter qu'elle avait eu bien tort de lui en préfèrer un autre. Si l'on sait que la *jalousie maladive* (cette forme particulièrement marquée d'égoïsme, qui fait qu'un sujet préférera toujours que l'autre soit malheureux à ses côtés, plutôt qu'heureux sans lui) représente l'une des modalités les plus classiques du désir de pouvoir sur l'autre, l'anti-anarchisme viscéral de Terray trouvera certainement là un éclairage psychologique intéressant. Il n'est, de surcroît, pas si fréquent de pouvoir ainsi observer *du dedans* la mentalité *réelle* d'un des principaux *donneurs de leçons* de l'extrême gauche libérale contemporaine.

Cette fois, on voit bien que la question politique n'est plus simplement celle des mécanismes institutionnels qui devraient permettre l'exercice en commun du pouvoir. La question devient clairement morale et psychologique (ou, si l'on veut, nietzschéenne). C'est celle que posera *toujours* à n'importe quelle société, fût-elle égalitaire, l'existence d'individus incapables d'exister par eux-mêmes, et qui ont besoin en permanence, pour se sentir reconnus, de défier leurs semblables, de chercher à les dominer, à les exploiter ou, simplement, à les *utiliser.* C'est précisément cette question cruciale que Stendhal avait soulevée avec une perspicacité remarquable dans ses *Mémoires d'un touriste*, à l'occasion de sa critique des idées de Fourier – auteur qu'il appréciait par ailleurs énormément. Cette critique, en effet, ne concerne pas du tout l'organisation du phalanstère lui-même (de ce côté, Stendhal serait plutôt amusé et séduit). Ce qui est objecté à Fourier c'est que, même dans l'hypothèse d'un système socialiste parfait (à supposer que cette idée ait le moindre sens) il se trouverait toujours « un Robert Macaire » (ce personnage représentait, dans la littérature française du XIXe siècle, le prototype de l'arriviste sans scrupule) pour réussir à s'emparer du pouvoir et devenir président – ou secrétaire général – de l'association (Stendhal ne connaissait pas encore la fonction de *porte-parole médiatique*).

– *Nous reviendrons en détail ultérieurement sur cette mise en garde stendhalienne...*

– D'accord... J'insiste quand même sur ce point car, à mon sens, c'est lui qui commande tout le reste. C'est même généralement parce qu'on néglige de poser cette question ou – ce qui est beaucoup plus grave – parce qu'on s'y refuse, que la plupart des révolutions finissent habituellement par être *détruites de l'intérieur* et détournées de leurs objectifs initiaux. En tout cas, c'est bien la thèse qu'Orwell cherchait à défendre en écrivant *La Ferme des animaux*. Vous vous souvenez peut-être qu'au début du roman, une révolution unanime parvient à chasser le fermier-exploiteur, Mr. Jones. Aussitôt libérés, les animaux décident – dans l'enthousiasme général – d'édifier une ferme socialiste modèle dans laquelle tous les animaux seraient égaux. Le problème, c'est que certains de ces animaux – dans le roman, ils sont symbolisés par les cochons – ne sont pas du tout prêts à vivre dans une société « libre, égalitaire et décente » (telle est, on le sait, la définition orwellienne du socialisme). Et cela parce qu'il leur est *psychologiquement impossible* de s'adapter à un monde dans lequel ils ne pourraient plus contrôler la vie des autres, décider à leur place ou, simplement, être au centre de toutes les attentions. Ce sont donc naturellement ces cochons qui vont élaborer l'idée devenue célèbre selon laquelle « si tous les animaux sont égaux, certains sont plus égaux que d'autres » (formule qui constitue, si on y réfléchit bien, la meilleure définition possible du principe de « discrimination positive »). À partir de ce moment, conclut Orwell, le destin de la Révolution est scellé : si personne ne s'oppose à la prise du pouvoir par les « cochons » (c'est-à-dire de ceux qui *jouissent* du pouvoir, à tous les sens du terme) rien ne pourra plus empêcher la domination de classe de se reformer – même si c'est sous des formes historiquement inédites. À travers ce merveilleux petit conte politique, on voit bien que, pour Orwell, la question de la volonté de puissance ne renvoyait pas seulement aux problèmes internes de la classe dominante. Elle concernait tout autant (sinon plus) les militants révolutionnaires eux-mêmes. Une organisation politique (ou une « association ») est en effet toujours, par définition, une machine à conquérir ou exercer du pouvoir (et à *distribuer des places*, y compris lorsqu'on se trouve dans l'opposition). Il est, dès lors, logique et inévitable qu'elle attire un nombre important de « Robert Macaire » – tout comme la lumière d'une lampe attire les papillons de nuit.

Et c'est là, bien sûr, que les choses se corsent. Car le problème serait relativement facile à résoudre si ce besoin de dominer les autres – qui est le véritable moteur psychologique de certains « camarades » – s'affichait toujours comme tel, de manière parfaitement visible et transparente, avec, pourrait-on dire, une naïveté enfantine. Il ne devait pas être très difficile, par exemple, de repérer *dès le début* la volonté de puissance d'un Staline – ou, puisque nous sommes à Montpellier, celle d'un Georges Frêche. Nous avons là un type d'individus au psychisme assez simple (ils ont clairement une revanche personnelle à prendre sur leur propre enfance) et dont le modèle d'identification politique doit se situer quelque part entre Néron et Caligula. Ici, les choses sont donc parfaitement claires : ceux qui acceptent de soutenir ce genre d'individus, de collaborer avec eux (ou même simplement de faire carrière sous eux) n'ont *aucune* excuse morale ; ce sont soit des complices, soit des croyants aveugles, soit des courtisans méprisables.

Ce qui complique toutefois la question c'est que, la plupart du temps, la volonté de puissance se manifeste d'une manière beaucoup plus subtile et détournée. Au point que cet amour du pouvoir demeure presque toujours invisible à ceux-là mêmes qu'il anime en profondeur. Il suffit, par exemple, d'observer la manière dont fonctionne concrètement un débat public, une assemblée générale, ou une réunion militante, pour repérer au premier coup d'œil un certain nombre de comportements récurrents qui ne prennent tout leur sens qu'à la lumière de cette analyse. La manière, par exemple, dont la parole va être monopolisée par certains (en général des hommes) ou celle dont elle est régulièrement prise par d'autres à la seule fin de s'écouter parler ou d'attirer l'attention sur leur précieuse personne, constituent ainsi les formes les plus classiques de ce désir infantile de prestige et d'autorité auquel j'ai fait allusion. Et pourtant, même à ce niveau élémentaire, il est déjà très rare que ceux qui fonctionnent de cette manière aient la moindre conscience de ce qui est réellement en jeu (si l'on veut bien mettre à part, évidemment, le cas des pervers).

Or ce n'est là que la partie émergée de l'iceberg. Dans la pratique, ce besoin pathologique d'occuper en permanence le devant de la scène ou de vérifier son degré d'emprise sur les autres peut prendre des formes autrement plus compliquées et redoutables. C'est précisément ce qui m'a conduit à essayer de décrire, dans mon livre, les voies inattendues et souvent difficiles à percevoir immédiatement (la psychanalyse m'a été ici d'un grand secours [1]) par lesquelles certains individus

---

1. Dans *L'Empire du moindre mal*, j'ai suggéré qu'à côté des formes « paternalistes » de domination d'autrui (formes très faciles à identifier : fantasmer, ou mettre en scène, *le meurtre du Père*, est à la portée du premier œdipien venu) il existait des formes « maternalistes » d'emprise, beaucoup plus difficiles à reconnaître – ne serait-ce que parce qu'elles sont déjà invisibles aux yeux de ceux (ou de celles) qui les exercent. De ce point de vue, l'œuvre de saint François d'Assise peut apporter un éclairage intéressant. Alors que l'ordre franciscain originel était supposé incarner une égalité absolue (fondée sur la volonté de François d'éradiquer toute trace de domination patriarcale – jusqu'à exempter Ève de toute participation au péché originel) on est bien obligé de constater, en effet, que les jeux de pouvoir se sont trouvés progressivement réintroduits par un curieux biais « matriarcal ». Ce que veut signifier saint François – écrit ainsi Jacques Dalarun –, « c'est que le seul mode de gouvernement conciliable avec le principe fraternel est la maternité relative. Le florilège des *transgressions sexuées* de François a déjà été dressé par ailleurs : il s'adresse à Léon « comme une mère [*sicut mater*] », est appelé « mère chérie » par Pacifique, se rêve en poule noire peinant à rassembler ses poussins sous ses ailes, se représente en pauvresse au désert engrossée par un roi, en statue d'une haute dame dont les alliages métalliques reproduisent le songe de Nabuchodonosor ; il est salué du titre de « Dame pauvreté » » (*François d'Assise ou le pouvoir en question. Principes et modalités du gouvernement*

finissent, à la longue, par exercer un contrôle *de fait* au sein d'un groupe ou d'une collectivité – sans jamais en violer ouvertement les règles, et tout en ayant, par ailleurs, le sentiment *sincère* que leur interventionnisme étouffant relève uniquement d'un dévouement exemplaire à la cause et à ses exigences. L'expérience quotidienne montre abondamment que ce genre d'individus épuisants, maniaques et *querelleurs* (généralement passés maîtres dans l'art de culpabiliser les autres) – mais tout aussi capables, quand il le faut, de se montrer charmeurs voire charismatiques – se révèlent généralement aussi dangereux, pour le fonctionnement démocratique de n'importe quelle communauté, que les Staline ou les Georges Frêche.

C'est donc ici qu'intervient ma sensibilité « anarchiste ». Je suis en effet convaincu que tant qu'on n'aura pas découvert une manière de neutraliser les différentes manifestations de la volonté de puissance (institutionnelles ou non) d'une façon au moins aussi intelligente que celle des Indiens d'Amazonie décrits par Pierre Clastres, nous nous exposerons à devoir affronter indéfiniment les mêmes problèmes politiques. Et le risque sera toujours aussi grand, par

---

dans l'ordre des Frères mineurs, De Bœck Université, 1999, p. 36). Si l'on ajoute que la figure de « l'abbé comme mère » traverse toute la littérature monastique, il serait peut-être temps de s'interroger sur ce que l'inconscient de la gauche *extrême* doit à la spiritualité franciscaine et abbatiale. Sur la dimension psychanalytique de ce problème, on lira l'étude de Jean-Pierre Lebrun, « Une économie de l'arrière-pays », *Che vuoi ?*, n° 29, Erès, 2008 (le concept d'« arrière-pays » désigne chez Lebrun le monde *pré-œdipien* des relations originelles à la mère).

conséquent, de voir les inévitables « Robert Macaire » triompher à nouveau du désir collectif d'égalité.

– Le libéralisme peut-il s'accommoder d'un État policier ou y a-t-il contradiction entre les deux termes ?

– Il faut, à mon sens, élargir la question : le libéralisme est-il philosophiquement compatible avec la notion d'intervention étatique en général, que celle-ci soit policière ou non ? On doit d'abord souligner qu'aucun des premiers libéraux politiques – un Benjamin Constant, un Tocqueville ou un Stuart Mill – n'aurait évidemment songé à défendre le principe d'un État policier. Dans la réalité, toutefois, les choses sont un peu plus compliquées. C'est déjà très net chez les physiocrates pour lesquels le despotisme éclairé (la Chine impériale était l'un de leurs modèles) représentait le complément politique idéal du marché libre. Certes, les libéraux se distinguent précisément des physiocrates par leur insistance sur le droit de chaque individu à vivre selon sa définition privée de la morale et du bonheur. Le paradoxe constitutif des politiques libérales, c'est qu'elles sont cependant constamment amenées à intervenir sur la société civile – ne serait-ce que pour y enraciner les principes mêmes du libre-échange et de l'individualisme politique.

Cela implique donc, pour commencer, une politique de soutien actif au marché (pourtant considéré, par ailleurs, comme « autorégulé ») – politique qui peut aller, comme on le sait, jusqu'à la fameuse « socialisation des pertes » (les classes populaires étant régulièrement invitées à éponger les dettes des banquiers imprévoyants ou des spéculateurs malchanceux). Mais un pouvoir libéral se trouve également tenu, par définition, de développer en permanence les conditions institutionnelles d'une « concurrence libre et non faussée ». Il peut donc être conduit – si la conjoncture historique l'exige – à développer toute une politique de démantèlement des services publics et des différentes formes de protection sociale – politique officiellement destinée à aligner la réalité empirique sur les dogmes de la théorie universitaire [D]. Enfin, et surtout, l'État libéral est philosophiquement contraint d'impulser *une révolution culturelle permanente* dont le but est d'éradiquer tous les obstacles historiques et philosophiques à l'accumulation du Capital et, en premier lieu, à ce qui en constitue de nos jours la condition de possibilité absolue : *la mobilité intégrale des individus* – mobilité dont la forme ultime est évidemment l'invitation, signifiée à toutes les monades humaines, à *circuler sans fin* sur tous les sites du marché mondial. Marx avait parfaitement saisi cette dimension majeure du libéralisme moderne lorsqu'il écrivait que la bourgeoisie, à la différence de toutes les classes dominantes antérieures, *ne pouvait pas exister* « sans révolutionner constamment l'ensemble des rapports sociaux » (on peut en déduire qu'il aurait eu le plus grand mal à trouver un poste d'enseignant de philosophie politique sur un campus américain « postmoderne »).

C'est donc en toute logique qu'Hubert Védrine rappelait récemment – dans un rapport officiel remis au président Sarkozy – que l'un des principaux freins à la croissance capitaliste était la « répugnance morale persistante » des gens ordinaires envers « l'économie de marché et son moteur, le profit ». De telles lamentations (qui prouvent, au moins, que les classes dirigeantes occidentales sont beaucoup plus averties de la *common decency* réelle des classes populaires que bien des défenseurs proclamés de celles-ci) sont monnaie courante chez les libéraux. Il y a quelques jours, je lisais par exemple – dans un rapport publié par l'ambassade des États-Unis en Birmanie – qu'une grande partie des difficultés rencontrées par les entreprises américaines pour s'implanter en profondeur dans ce pays, tenaient au fait que la recherche du profit individuel et le désir de s'enrichir occupaient une place encore trop marginale dans la culture birmane traditionnelle. Ces missionnaires libéraux en déduisaient donc, avec une parfaite cohérence, que l'on devait contraindre ces populations à se « moderniser » et les amener à rompre avec leur mentalité archaïque et « conservatrice » (ce genre de rapport, à usage essentiellement interne, montre, au passage, à quel point il faut vraiment vivre dans le monde clos de la gauche universitaire pour imaginer un seul instant que le « néoconservatisme » et la défense des traditions pourraient être l'idéologie pratique *réelle* d'une société fondée sur la croissance illimitée et la consommation obligatoire [1]).

---

1. On pourrait presque dire que, de nos jours, un universitaire (ou un « chercheur ») de gauche, c'est d'abord quelqu'un qui serait capable – en observant les centaines de titres étalés sous ses yeux dans une maison de la presse –

Ces différentes contraintes conduisent donc naturellement un pouvoir libéral à mettre sans cesse en place des politiques interventionnistes (au premier rang desquelles une « modernisation » permanente de l'école – et de ses méthodes pédagogiques – destinée à ouvrir celle-ci sur la « vie », autrement dit sur les nouvelles réalités du marché mondial). On se souvient, d'ailleurs, que sans le concours *déterminant* des gouvernements de l'époque (gouvernements dont il n'est pas inutile de rappeler que, dans le cas européen, *ils étaient presque tous de gauche*) les conditions techniques et politiques de la mondialisation capitaliste n'auraient jamais pu être réunies (personne n'a ainsi oublié le rôle décisif joué par un Jacques Delors dans la destruction méthodique de tous les obstacles institutionnels à l'essor du capitalisme européen).

Il ne fait donc aucun doute que la *logique réelle* d'un État libéral le conduit toujours à se faire beaucoup plus interventionniste que ses dogmes officiels ne le prétendent. De ce point de vue, on pourrait résumer sa contradiction constitutive en disant qu'il est, en permanence, tenu d'*intervenir afin de laisser faire*). Et pour en revenir à la question précise que vous m'aviez posée, je réponds donc sans hésiter que

---

d'en conclure (statistiques à l'appui) qu'on ne peut plus désormais trouver, dans ce pays, que des magazines chrétiens intégristes ou des revues à la gloire de l'armée et des anciens combattants. Toute autre conclusion ne pourrait d'ailleurs que nuire gravement à sa carrière universitaire.

l'interventionnisme de l'État libéral peut effectivement aller très loin. Si loin qu'Hayek lui-même, le pape du libéralisme moderne, avait fini par défendre (en se fondant sur l'expérience du Chili de Pinochet) la légitimité philosophique d'une « dictature libérale provisoire » destinée, dans certaines circonstances bien précises, à remettre sur les rails une économie capitaliste menacée par les révoltes populaires.

Seulement, et toute la différence est là, une telle dictature ne saurait précisément être que provisoire (comme Hayek le soulignait dans son entretien au *Mercurio* du 12 avril 1981). Il existe, en effet, par définition, une contradiction objective entre les contraintes propres à un État policier classique et *le type particulier de liberté individuelle* qu'exige une société de consommation développée. Dans cette dernière, en effet, chaque monade humaine doit pouvoir décider à tout moment si – dans sa manière distinctive de consommer, elle sera plutôt « hype », « trendy » ou encore « fashionista » (pour employer ici le vocabulaire des nuits parisiennes) ; ce qui implique, en amont, un certain nombre de tolérances et de garanties institutionnelles minimales, incompatibles avec une véritable dictature. C'est bien ce que rappelait Mona Chollet dans une récente livraison du *Monde diplomatique* consacré à « La fabrique du conformisme [1] » quand elle soulignait avec raison que dans nos sociétés occidentales (mais c'est également de plus en plus vrai dans les sociétés dites du tiers-monde comme en témoigne, depuis deux ou

1. *Manières de voir*, n° 96, décembre 2007.

trois décennies, l'imaginaire des nouveaux migrants) [E], le capitalisme tend désormais à fonctionner à la séduction bien plus qu'à la répression au sens strict.

Certes, un État libéral moderne n'hésitera jamais à recourir à la violence la plus extrême si l'intérêt des plus riches et la « gouvernabilité » du système l'exigaient (les « Guantanamo » peuvent lui être, à l'occasion, aussi utiles que les paradis fiscaux lui sont, en permanence, nécessaires) ; et il ne fait aucun doute qu'une telle violence devrait alors inclure l'usage systématique de toutes les techniques de répression et de contrôle des individus que des savants fous ont été capables de mettre au point. Pour autant, et contrairement à une vision encore très répandue dans les milieux d'extrême gauche, il y a déjà bien longtemps que le dressage capitaliste des classes populaires – ne repose plus prioritairement sur l'action de la police ou de l'armée (sinon, d'ailleurs, pourquoi la droite aurait-elle pris *elle-même* la peine de supprimer le service militaire, alors que celui-ci était supposé constituer, il n'y a pas si longtemps encore, le lieu d'apprentissage *par excellence* de la soumission des jeunes à l'ordre marchand ?). De nos jours, il devrait, au contraire, être devenu *évident* pour n'importe qui que le développement massif de l'aliénation trouve sa source véritable et ses points d'appui principaux dans la guerre totale que les industries combinées du divertissement, de la publicité et du mensonge médiatique livrent quotidiennement à l'intelligence humaine. Et les capacités de ces industries modernes à contrôler le « temps de cerveau humain disponible » sont, à l'évidence, autrement plus redoutables que celles du policier, du prêtre ou de l'adjudant – figures qui impressionnent tellement les militants des « nouvelles radicalités ».

Critiquer le rôle de l'État libéral contemporain sans mesurer à quel point le centre de gravité du système capitaliste s'est déplacé *depuis longtemps* vers les dynamiques du marché lui-même, constitue donc une erreur de diagnostic *capitale*. Erreur dont je ne suis malheureusement pas sûr qu'elle soit seulement d'origine intellectuelle. Concentrer son attention sur les seuls méfaits de l'« État raciste et policier » (comme si nous vivions en Corée du Nord, et que le gouvernement sarkozyste ne représentait qu'une forme rajeunie de l'État pétainiste) procure, en effet, des bénéfices secondaires beaucoup trop importants pour ne pas être psychologiquement suspects. Car cette admirable vigilance « antifasciste » ne présente pas seulement l'avantage de transformer instantanément ses zélés pratiquants en maquisards héroïques ; seraient-ils par ailleurs sociologues appointés par l'État, stars du show-biz, maîtres de conférences à la Sorbonne ou pensionnaires attitrés du cirque médiatique. Elle les dispense surtout d'avoir à s'interroger, pendant tout ce temps, sur leur degré d'implication *personnelle* dans la reproduction *quotidienne* du mode de vie capitaliste ; autrement dit sur leur propre rapport au monde de la consommation et à sa contre-culture « subversive » officielle.

En un mot, et pour paraphraser Nietzsche, il serait temps de reconnaître enfin que, de nos jours, c'est le spectacle lui-même qui est devenu « la meilleure des polices ». Si l'on conservait encore le moindre doute à ce sujet, on pourra trouver dans le dernier ouvrage de Benjamin Barber [1], une quantité impressionnante de données empiriques qui confirment cette thèse. On sait, par exemple, que dans les pays occidentaux, près de 70 % des achats opérés par les ménages le sont désormais *sous la pression morale et psychologique* de leurs propres enfants. Si les mots ont un sens, cela signifie que le dressage spectaculaire et marchand de la jeunesse s'est déjà révélé si efficace qu'une grande partie de cette dernière assume sans le moindre état d'âme son nouveau rôle d'*œil du système* à l'intérieur de la sphère familiale. Et – ce qui est plus inquiétant encore – un nombre non négligeable de parents (il est vrai le plus souvent de gauche) semble s'être parfaitement accomodé de la surveillance impitoyable qu'exercent ces nouveaux gardes rouges (un phénomène qu'Orwell avait remarquablement décrit dans *1984*) [2].

---

1. Benjamin Barber, *Comment le capitalisme nous infantilise*, *op. cit.*

2. « Ce sont les enfants qui sont les premières cibles de la propagande, eux qui devront *faire la leçon* à leurs parents comme les y ont dressés les spots télévisés ("Les antibiotiques c'est pas automatique !"). On n'hésite d'ailleurs à encore parler d'enfants à propos de ces êtres si précocement rompus à toutes les disciplines et procédures technologiques (...). Ils relaient avec zèle les campagnes de responsabilisation et surveillent la correction écologique de leurs parents » (René Riesel, Jaime Semprun, *Catastrophisme, Administra-*

Quand le pouvoir des images atteint un tel degré d'efficacité, le bon sens voudrait donc qu'il soit universellement reconnu que l'assujettissement des individus au système capitaliste doit, à présent, beaucoup moins à l'ardeur répressive du policier ou du contremaître qu'à la dynamique autonome du spectacle lui-même – c'est-à-dire, pour reprendre la célèbre définition de Debord, du Capital parvenu « à un tel degré d'accumulation qu'il est devenu image [1] ». Or

---

tion du désastre et Soumission durable, éditions de l'Encyclopédie des nuisances, 2008, p. 47).

1. L'imposition quotidienne de l'imaginaire capitaliste ne se réduit pas à l'impact des *images* au sens strict. Elle possède dans la *musique industrielle* son accompagnement *sonore* indispensable. Tel est, entre autres, le rôle de l'*Audio architecture* que la célèbre entreprise Muzac définit elle-même ainsi : « Il s'agit de créer des expériences qui lient les clients aux entreprises. Le pouvoir de *l'Audio architecture* réside dans sa subtilité. *Elle surmonte les résistances de l'esprit et cible la réceptivité du cœur.* Quand on fait en sorte que les gens se sentent bien, mettons dans un magasin, ils associent l'idée de bien-être à ce magasin. Ils l'aiment. Ils s'en souviennent. Ils y retournent. L'*Audio architecture* construit un pont vers la fidélité. Et la fidélité est ce qui maintient les marques en vie. » Comme l'écrit Jean-Marc Mandosio, à qui j'emprunte cette citation, « la musique du capitalisme industriel ou post-industriel, comme on voudra, présente un trait qui la caractérise, par-delà toutes les différences de genres et de style : *son omniprésence.* Qu'elle soit discrète ou agressive, savante ou populaire, la musique constitue la "bande-son" de la vie quotidienne des sociétés contemporaines, à laquelle il est presque impossible d'échapper. Certains "espaces piétonniers" des centres-villes comportent des haut-parleurs placés à intervalles réguliers, faisant de la rue un centre

le moins que l'on puisse dire, c'est que nous nous trouvons aujourd'hui *plus éloignés que jamais* d'une telle prise de conscience collective. Le simple fait que toute interrogation critique sur les dogmes de l'éducation libérale (à l'école comme dans la famille) est devenue depuis longtemps une question *taboue* chez la plupart des militants de gauche, en témoigne suffisamment.

Parvenus à ce point, je suppose qu'il est temps d'affronter enfin la question des questions : comment un tel cataclysme politique et culturel a-t-il pu se produire ? Ou, si l'on préfère, par quelle mystérieuse dialectique, la gauche et l'extrême gauche (qui incarnaient autrefois la défense des classes populaires et la lutte pour un monde décent) en sont-elles venues à reprendre à leur compte les principales exigences de la logique capitaliste, depuis la liberté intégrale de circuler sur tous les sites du marché mondial jusqu'à l'apologie de principe de toutes les transgressions morales possibles ?

Une grande partie de la réponse à cette question se trouve, naturellement, dans les mutations économiques, culturelles et politiques du système capitaliste

---

commercial à ciel ouvert ; quand il n'y a pas de haut-parleurs fixés aux façades des maisons, les boutiques et les cafés en tiennent lieu. Cette « immense accumulation de marchandises » qu'est la société du spectacle implique un accompagnement musical continu, transformant l'existence tout entière en une suite ininterrompue de *spots* publicitaires » (Jean-Marc Mandosio, *D'or et de sable*, *op. cit.*, p. 281).

lui-même. Comme on le sait, il s'agit là d'une lame de fond historique qui a progressivement déferlé sur la France à la fin des années 1950 (et qui avait déjà transformé les États-Unis quelques décennies plus tôt) [1]. Pour autant, il serait impossible de comprendre certaines des formes politiques particulières que la modernisation capitaliste a prises en France, si l'on ne

---

1. Sur ces transformations culturelles, l'étude la plus intéressante est celle de Kristin Ross, *Rouler plus vite, laver plus blanc. Modernisation de la France et décolonisation de la France au tournant des années 1960*, Flammarion, 2006 (l'édition américaine date de 1995). Quant à la littérature, l'un de ses meilleurs témoignages demeure incontestablement *Les Choses* de Georges Perec. Trois ans avant 1968, l'auteur y décrit en effet d'une façon extraordinairement prophétique l'émergence du futur électeur de gauche – tel qu'il va dominer la scène politique, médiatique et culturelle à partir de 1981. Symptomatique, de ce point de vue, est le rapport fasciné qu'entretiennent Jérôme et Sylvie (les deux personnages centraux du roman) avec « *les milieux de la publicité, généralement situés d'une façon quasi mythologique à gauche* ». Alors même – prévient la voix off du narrateur – qu'il serait beaucoup plus exact de définir ces milieux, alors en plein essor, par « *le technocratisme, le culte de l'efficience, de la modernité, de la complexité, le goût de la spéculation prospective, la tendance plutôt démagogique à la sociologie* ». Par sa seule existence, ce roman de Perec (qui se termine nostalgiquement sur une citation de Karl Marx) prouve ainsi que le « Mai 68 » officiel (celui de Cohn-Bendit et de la FNAC) n'a jamais fait que *catalyser* et *précipiter* une évolution économique et culturelle dont les racines plongeaient bien plus dans les nouveaux développements du capitalisme de consommation que dans leur « contestation » officielle. Du reste, cette évolution s'est logiquement reproduite à l'identique dans l'ensemble des pays occidentaux, *qu'ils aient connu ou non l'équivalent d'un « Mai 68 »*.

s'interrogeait pas simultanément sur ce moment catalyseur décisif qu'ont représenté *les événements de Mai 68*. Ou plutôt – car ici la confusion et la falsification règnent désormais en maître – si l'on ne s'interrogeait pas sur ce cycle d'événements, à la fois fondateurs et contradictoires, que les médias et l'historiographie officielle s'efforcent inlassablement – depuis quarante ans – d'unifier rétrospectivement sous le nom de « Mai 68 » ; nom déjà bien trompeur en lui-même puisque le cycle d'événements déclenché à l'occasion de ce joli mois de Mai, s'est étendu sur plusieurs années et n'a, en réalité, globalement pris fin qu'en 1974 [1].

---

1. Il y aurait lieu d'examiner ici les effets politiquement – et psychologiquement – dévastateurs du coup d'État *libéral* organisé au Chili – *en septembre 1973* – par le général Pinochet et ses commanditaires états-uniens (« L'ordre a été enfin rétabli à Santiago du Chili » – selon la célèbre formule du journaliste Bernard Volker, présentant alors en direct l'heureuse nouvelle à la télévision française). Les informations qui ont rapidement commencé à circuler sur l'ampleur et *le sadisme* épouvantable de la répression libérale ont immédiatement déclenché dans l'intelligentsia française un effet d'*identification* extraordinairement traumatisant et, à travers celui-ci, une sorte de *retour brutal du principe de réalité* : la « révolution » n'était donc pas uniquement une fête immense et joyeuse (une *Rebel-Pride* ensoleillée sur fond de musique woodstockienne) ; elle pouvait même conduire *ceux qui la prenaient au sérieux* à devoir mourir sous la torture dans les geôles sinistres d'une junte militaire (un point dont les organisations ouvrières, pour leur part, n'avaient naturellement jamais douté). C'est à ce moment précis que les lampions ont commencé à s'éteindre, et que l'idée que le « mythe » d'une société sans classe conduisait nécessairement au goulag, s'est peu à peu

Qu'a-t-on ainsi cherché à dissimuler sous cette unification retrospective ? Quiconque a participé de près à ces événements n'a certainement pas oublié qu'ils n'ont eu, *à aucun moment*, le caractère d'un ensemble idéologique et culturel uniforme, qu'on pourrait donc approuver ou condamner en bloc, en opposant par exemple – pour reprendre l'une des mystifications universitaires les plus courantes – une « pensée 68 » et une « pensée anti-68 ». Ce printemps magnifique était – tout au contraire – *celui de la contradiction généralisée*, chaque forme de contestation à peine apparue suscitant à son tour une contestation symétrique. Ce serait annuler le sens même de ces combats pluriels et multicolores que de chercher à les dissoudre – à la manière des communicants de Virgin, de la Fnac ou d'Édouard Leclerc –

---

répandue chez les leaders *intellectuels* du mouvement (relayée, sur le plan médiatique, par les idéologues de la *nouvelle philosophie*). Dans la mesure où c'est en grande partie, ce traumatisme politique qui a rendu psychologiquement possible le passage accéléré sur les positions culturelles de la nouvelle gauche (avec, dans un premier temps, le triomphe des « spontanéistes » et des « désirants » sur les « ouvriéristes ») il n'est pas étonnant que les traces en aient été soigneusement effacées aussi bien de l'historiographie officielle, que de la mémoire, visiblement très friable, de ceux des anciens combattants de « Mai 68 » qui ont, précisément, commencé à tourner le dos à la classe ouvrière et au peuple au lendemain de ce coup d'État. Et cela d'autant plus que la politique économique mise en œuvre par la junte chilienne – politique dictée par Milton Friedman et ses *Chicago boys* – était précisément celle que les différents gouvernements de gauche (et la Communauté européenne) allaient bientôt devoir imposer à leurs propres peuples – de façon il est vrai plus pacifique.

dans l'unité d'un mystérieux « esprit de Mai 68 » (un peu comme si les mêmes marchands évoquaient un improbable « esprit de la révolution russe » pour penser sous l'unité d'une sensibilité commune, Staline, Kerensky et Makhno) [1].

---

1. Lorsqu'en 1973, Michel-Antoine Burnier préface un recueil d'entretiens avec diverses personnalités jugées représentatives de la nouvelle « contre-culture », entretiens parus lors des années précédentes dans le magazine *Actuel* (*C'est demain la veille*, Seuil), il prend encore bien soin de préciser que « chacun de ces hommes conteste bien sûr l'analyse du voisin, probablement plus encore que ce voisinage lui-même. S'il s'agit d'un courant d'idées, il est manifestement aussi partagé que le furent la philosophie des Lumières, de Voltaire à Rousseau, ou les socialismes du XIXe siècle ». Sage précision, en effet, puisque le recueil voit coexister aussi bien Herbert Marcuse et Henri Lefebvre d'un côté, que Michel Foucault et Gilles Deleuze de l'autre. Cela pour ne rien dire de la présence rétrospectivement incongrue d'un Alain Touraine, ou d'autres penseurs aujourd'hui bien oubliés, comme par exemple Roel Van Duyn. Présentant cette diversité irréductible des pensées qui se sont *affrontées* en « Mai 68 », Burnier n'hésite d'ailleurs pas à y intégrer (à juste titre) celles qui « vont chercher le message de l'Autre – les mystiques de l'Orient – pour garantir leur exil de la civilisation occidentale ». La seule unité qu'il finit par trouver, en arrière-plan de toute cette époque contradictoire (mais là nous rentrons déjà dans les *fondements psychologiques et nostalgiques* du futur mythe) c'est qu'une « rock music portée par les *médias* (le mot est mis entre guillemets, parce qu'à l'époque il est encore tout à fait nouveau) façonne le nouveau langage d'une génération internationale ». On voit qu'en ces temps reculés, un Luc Ferry ou un Serge Audier auraient eu le plus grand mal à placer leur belle invention universitaire d'une

La première raison qui rend évidemment intenable ce type de simplification rétrospective, c'est que ces événements, comme Kristin Ross l'a définitivement établi, ont *d'abord* été le lieu d'un télescopage historique imprévu entre deux mouvements bien distincts : d'un côté un *Mai 68 étudiant*, qui constituait la partie visible de l'iceberg, et de l'autre un *Mai 68 populaire* – rassemblant avant tout des ouvriers, des paysans et des employés (mais pas uniquement) – d'une ampleur et d'une puissance *incomparablement supérieures* (« la plus grande grève populaire de l'histoire de France »). Or l'origine, la nature et les projets politiques respectifs de ces *deux Mai 68* n'ont, pour l'essentiel, jamais réellement coïncidé, malgré les multiples passerelles qui ont pu être jetées ici et là, tout au long du mouvement.

Une deuxième raison, c'est que le mouvement étudiant, sur lequel tous les projecteurs médiatiques de l'époque s'étaient immédiatement concentrés, était lui-même traversé par les sensibilités les plus contradictoires. Certaines étaient idéologiquement très structurées ; d'autres, au contraire, (dont la « politisation » était d'ailleurs souvent très récente) participaient simplement de cette contre-culture diffuse qui était entrée dans l'air du temps depuis le concert fondateur de la place de la Nation en 1963 (et dont le film *Les Tricheurs* avait constitué, en 1958, une anticipation remarquée). Et entre ces deux pôles tous les degrés du spectre idéologique possédaient naturellement leurs représentants attitrés (et plus ou

---

unité philosophique de « Mai 68 » et – sans doute plus encore – à trouver un seul critique littéraire pour les prendre au sérieux.

moins cohérents). On peut déjà en déduire que ces mouvances extrêmement diverses ne pouvaient pas être récupérables au même degré par la nouvelle culture du capitalisme de consommation – comme en témoigne suffisamment, du reste, leur destin médiatique et politique ultérieur.

Mais il faut aller beaucoup plus loin. Pour un peu, on aurait presque oublié que les critiques les plus impitoyables de la contestation étudiante – autrement dit du Mai 68 *officiel* – sont venues, à l'époque, des milieux de l'internationale situationniste. Si on prend la peine de relire, par exemple, la brochure géniale et prophétique de Mustapha Khayati – publiée à Strasbourg en novembre 1966 dans le but de démasquer les apprentis bureaucrates de l'UNEF –, on comprend aussitôt que cette critique féroce (Khayati allait jusqu'à écrire que la bohême étudiante méritait « jusqu'au mépris des vieilles dames de la campagne ») était dans son principe foncièrement *incompatible* avec les célébrations émerveillées du mouvement qui allaient rapidement devenir la partition de base de l'« impuissante intelligentsia de gauche, des *Temps modernes* à *L'Express* [1] ». Or nous ne

1. *De la misère en milieu étudiant considérée sous ses aspects économique, politique, psychologique, sexuel et notamment intellectuel et de quelques moyens pour y remédier* (1966). Dans son application – écrivait Khayati – « l'étudiant se croit d'avant-garde parce qu'il a vu le dernier Godard, acheté le dernier livre argumentiste [une revue fondée en 1956 par Edgar Morin], participé au dernier happening de Lapassade, ce con. Cet ignorant prend pour des nouveautés "révolutionnaires" garanties par label, les plus pâles erzatz d'anciennes recherches effectivement importantes en

savons que trop bien, à présent, que les différents courants de « Mai 68 » qui ont fini par l'emporter sur les plans politique, culturel et médiatique (et qui sont évidemment ceux dont la « révolte » ne faisait que traduire dans le langage enchanté de la *fausse conscience* les nouvelles contraintes du capitalisme moderne) ne

---

leur temps, édulcorées à l'intention du marché. La question est toujours de préserver son standing culturel. L'étudiant est fier d'acheter, comme tout le monde, les rééditions en livre de poche d'une série de textes importants et difficiles que la "culture de masse" répand à une cadence accélérée. Seulement il ne sait pas lire. Il se contente de les consommer du regard. Ses lectures préférées restent la presse spécialisée qui orchestre la consommation délirante des gadgets culturels ; docilement il accepte ses oukazes publicitaires et en fait la référence standard de ses goûts. Il fait encore ses délices de *L'Express* et de l'*Observateur*, ou bien il croit que *Le Monde*, dont le style est déjà trop difficile pour lui, est vraiment un journal "objectif" qui reflète l'actualité ». Il convient, bien entendu, d'ajouter que l'Internationale situationniste a elle-même été traversée, tout au long de son histoire, par des courants très contradictoires et qu'elle a donc, de ce fait, nécessairement connu sa propre part d'échec. C'est d'ailleurs ce que soulignera Guy Debord lui-même en affirmant, par exemple, que Vaneigem (« celui de nous tous qui a le plus abondamment parlé de lui-même, de sa subjectivité et de son goût du plaisir radical ») « n'a jamais voulu reconnaître une part d'échec dans l'action de l'IS, précisément parce qu'il se savait lié trop intimement à cette part d'échec » (communiqué de l'IS du 9 décembre 1970). Pour une critique un peu moins subjective de cette « part d'échec » – et notamment de la fascination, longtemps présente chez les situationnistes, envers l'utopie technologique – on lira avec intérêt les analyses de Jean-Marc Mandosio (*Dans le chaudron du négatif*, éditions de l'Encyclopédie des nuisances, 2003).

correspondaient absolument pas à ceux qui s'étaient patiemment organisés – depuis la fin des années 1950 – sur la base d'une critique intransigeante du nouvel esprit du capitalisme – c'est-à-dire, avant tout, de la « société du spectacle » (Debord) et de son « système technicien » (Ellul).

Il suffit, pour s'en convaincre, d'observer la façon dont le rapport des forces idéologiques a évolué dans ce qu'on a appelé l'« après-Mai ». On remarquera ainsi qu'à la séquence Lukacs – école de Francfort – Socialisme et Barbarie – Henri Lefebvre – Internationale situationniste – sans même parler des critiques, peut-être plus radicales encore, d'un Charbonneau ou d'un Ellul – a très vite succédé (cette évolution étant particulièrement nette dans le milieu universitaire où la lutte pour les places revêt toujours un caractère impitoyable) la séquence Althusser – Bourdieu – Foucault – Deleuze – Derrida [1]. Or autant la première

1. On sait le rôle décisif joué dans cette *prise de pouvoir universitaire* par la fondation, dès la fin de l'année 1968, du « Centre expérimental » de Vincennes. Pour diriger le département de philosophie, le gouvernement gaulliste fit logiquement appel à Michel Foucault, qui lui avait déjà rendu quantité de services par le passé (membre du jury de l'ENA en 1965, membre de la commission Fouchet sur la réforme de l'Université en 1967, etc.). Comme le rappelle Mandosio (*D'or et de sable*, *op. cit.*, p. 196), Foucault s'empressa aussitôt « de recruter dans son département une foule de maoïstes et de lacaniens (c'étaient souvent les mêmes) ultra-doctrinaires, assortie d'une pincée de trotskistes et d'althussériens, plus un ou deux professeurs de philosophie ». Il est rétrospectivement intéressant, *aujourd'hui*, de jeter un coup d'œil sur les cours immédiatement donnés dans ce "centre expérimental"

séquence, quelles qu'en soient les limites, avait rendu possible une critique acérée du *mode de vie* capitaliste, autant les subtiles constructions idéologiques de la seconde allaient pouvoir être retournées avec une facilité déconcertante au profit des nouvelles dynamiques libérales – comme en témoigne, du reste, le rôle fondateur qu'elles ont joué dans la formation du paradigme « postmoderne » et l'émergence des « nouvelles radicalités » de l'ère mitterrandienne [1].

---

et, surtout, sur *la nouvelle génération d'universitaires de gauche* que le pouvoir gaulliste allait ainsi porter sur les fonts baptismaux : 1968-1969 : « Révisionnisme-gauchisme » par Jacques Rancière ; « Science des formations sociales et philosophie marxiste » par Étienne Balibar ; « Révolutions culturelles » par Judith Miller ; « Lutte idéologique » par Alain Badiou. 1969-1970 : « Théorie de la deuxième étape du marxisme-léninisme : le stalinisme » par Jacques Rancière ; « Troisième étape du marxisme-léninisme : le maoïsme » par Judith Miller ; « Introduction au marxisme du XXe siècle : Lénine, Trotski et le courant bolchévique » par Henri Weber ; « La dialectique marxiste » par Alain Badiou, etc. (cité par Mandosio, *ibid.*).

1. Le modèle absolu du cynisme mitterrandien demeure cependant, à la fin de l'année 1984 (c'est-à-dire peu après le Grand Tournant libéral), la fondation – sur ordre de l'Élysée et avec l'aide active de stars du show-biz – de *SOS Racisme*, organisation destinée, au départ, à dissoudre définitivement la question *sociale* (maintenant reléguée aux oubliettes de l'Histoire) dans le bain d'acide de l'*antiracisme* et des différentes questions *sociétales*. Sur cette forme exemplaire de manipulation étatique et de *storytelling* (les différentes légendes fondatrices forgées à l'intention des médias par Julien Dray et ses amis, s'avérant toutes chronologiquement incompatibles avec la date réelle de la fondation de l'organisation, telle qu'elle est reproduite dans le

C'est, à mon sens, dans ce chassé-croisé philosophique singulier qu'il faut chercher – en dernière instance – les raisons profondes de cette incapacité, devenue pathétique, de la gauche actuelle (c'est-à-dire celle qui est devenue culturellement hégémonique après 1981) à concevoir *le nouvel esprit du capitalisme* autrement que comme un accomplissement inéluctable des exigences émancipatrices de la modernité ; la « modernisation économique » ne constituant elle-même, pour les plus audacieux (généralement formés à l'école historique du *mendésisme*) qu'un chapitre parmi d'autres, de cette magnifique évolution des mœurs.

Ici, je me doute bien que beaucoup de jeunes auditeurs vont avoir un certain mal à me suivre, car ce n'est généralement pas ainsi qu'on leur raconte l'histoire de ces années tumultueuses et fondatrices. Je les invite donc tout simplement à lire le discours prononcé par Bob Kennedy à l'université du Kansas, en mars 1968 – quelques semaines avant son assassinat – discours dont je cite un long passage dans mon livre. Ils auront la surprise d'y découvrir une critique de la culture capitaliste et du mythe de la croissance dont la pertinence et la radicalité, rétrospectivement stupéfiantes, lui vaudrait aujourd'hui la réprobation

---

Journal officiel du 1er novembre 1984) on trouvera toutes les preuves indispensables (ainsi que des textes, à présent soigneusement occultés) dans le livre de Paul Yonnet : *Voyage au centre du malaise français*, Gallimard, 1993. Inutile de préciser que ce dernier ouvrage a fait l'objet, à sa sortie, d'une campagne de diffamation en règle.

consternée de tous les courants de la gauche – de Jacques Attali à Olivier Besancenot en passant par Ségolène Royal et Marie-Georges Buffet. Or Bob Kennedy n'était pas un anarchiste ou un révolutionnaire au sens strict du terme. Il s'inscrivait simplement (comme, à la même époque, le pasteur Martin Luther King) dans la grande tradition démocratique radicale du populisme américain. Ce simple fait (dont l'époque fournirait évidemment bien d'autres exemples) donne, à lui seul, la mesure de l'incroyable retournement idéologique (ou de cette véritable *contre-révolution dans la révolution*, je ne vois pas d'autre mot) dont la France de la seconde partie des années 1970 a été l'un des théâtres privilégiés [1]. Ce qui a été progressivement *refoulé* de la mémoire collective, à partir de cette époque extraordinairement trouble (et l'on connaît le rôle décisif que des

1. Sur ce retournement idéologique programmé, on trouvera quantité d'analyses intéressantes dans l'ouvrage, assez peu connu, de Dominique Allan Michaud, *L'Avenir de la société alternative. Les idées 1968-1990*, L'Harmattan, 1989 ; ainsi que dans le petit livre de Pierre Rimbert, *Libération, de Sartre à Rothschild*, Raisons d'agir, 2005. Du côté des classes dirigeantes, on ne doit pas, non plus, oublier le choc provoqué en 1972 par la publication du *Rapport sur les limites à la croissance*, rédigé sous la direction de Donella et Dennis Meadows. Le succès de la vague « néolibérale » qui va peu à peu investir, à partir du milieu des années 1970, toutes les positions de l'ancienne droite (la victoire, en 1975, de Margaret Thatcher sur son rival Edward Heath ayant valeur de symbole) s'explique, pour une part non négligeable, par la volonté d'échapper *à tout prix* aux conclusions impitoyables du Club de Rome (*cf. Halte à la croissance ?*, Fayard, 1972).

médias comme *Actuel* ou *Libération* ont joué dans cette contre-révolution intellectuelle) ce n'est rien moins, en effet, que l'ensemble des questionnements critiques qui – en Mai 68 et dans les années qui avaient suivi (des combats de Lip à ceux du Larzac) – avaient fondé ou accompagné les luttes les plus radicales et les plus créatrices du mouvement populaire. Citons, en vrac, quelques-unes de ces interrogations :

Quel contenu concret pourrait-on donner – dans l'entreprise comme dans les autres sphères de la société – à la notion de *pouvoir des travailleurs* ? Une politique d'émancipation humaine (concernant, par conséquent, aussi bien les femmes que les hommes) doit-elle être uniquement comprise comme une extension indéfinie des droits de l'individu isolé, ou appelle-t-elle *également* des formes d'existence plus solidaires, voire *communautaires* ? Le développement d'une société démocratique est-il compatible avec les contraintes imposées par les méga-machines du « système technicien » (Jacques Ellul) et le rôle de plus en plus envahissant des « experts » ? Et d'une façon plus générale, l'idée même de croissance économique illimitée – voire exponentielle – est-elle compatible avec la capacité de charge de la planète, ainsi qu'avec la nécessité de conserver des manières de vivre authentiquement humaines ? Y a-t-il encore un sens, de ce point de vue, à maintenir le principe d'une agriculture paysanne (on se souvient peut-être que le *baba cool*, parti élever ses chèvres en Lozère, a été la toute première figure de « Mai 68 » que *Libération* et la presse libérale-libertaire aient entrepris de ridiculiser méthodiquement [1]) ; ou faut-il, à l'inverse, encourager par tous les moyens l'exode vers les nouvelles mégapoles surpeuplées et toutes les formes de migrations internationales (à commencer par le *tourisme de masse*, cette négation organisée du voyage, destinée à détruire tous les lieux qu'elle envahit) ; exode et migrations supposés plus conformes à la nature « nomade » de l'homme et au caractère émancipateur de toute « déterritorialisation » ? [F] La défense de l'autonomie locale s'oppose-t-elle d'ailleurs nécessairement au sens de l'universel et avons-nous raison, entre autres, de défendre l'étude de l'occitan, du catalan ou du breton ou de soutenir les combats de ceux qui veulent « *viure e trabalhar al paìs* » ? Quelles nouvelles formes de coopération et d'entraide pourraient, ici et là, commencer à se substituer aux froides logiques de la concurrence mondialisée et du calcul égoïste ? Devons-nous, au nom d'une représentation platement positiviste de la philosophie des Lumières, refuser toute analyse critique de la notion même de « Progrès », ou pourrions-nous avoir, au contraire, des leçons à tirer de l'expérience politique des civilisations antérieures et notamment des sociétés dites « primitives » ? Quel contenu pratique faut-il donner à la notion d'internationalisme, et comment articuler

1. Sur l'expérience décisive des communautés rurales – et sur la critique radicale qui en constituait le fondement philosophique – je renvoie à l'admirable documentaire de Patrick Prado, « Le Basculement. 1. Un secret bien gardé » (DVD, « Mirage illimité », 2008).

entre eux les différents niveaux du *sentiment d'appartenance* (du local au planétaire) sentiment sans lequel il n'est pas d'existence humaine possible ? Comment aider *d'une façon concrète* les différents peuples du « tiers-monde » à se libérer à la fois de la domination néocoloniale qu'exercent sur eux les grandes firmes capitalistes, et du joug de leurs propres classes dirigeantes corrompues ? Quels types d'institutions éducatives pourraient développer le sens critique des individus (et leur sensibilité civique et morale), leur permettant ainsi de résister, entre autres, à la décérébration organisée par la propagande publicitaire et le mensonge médiatique ? Quels types de biens matériels et symboliques sont indispensables à une vie authentiquement humaine et sous quelles formes pourraient-ils être produits et répartis de façon aussi juste et efficace que possible ? Comment inventer de nouveaux rapports entre les hommes et les femmes qui ne se traduiraient pas par une nouvelle guerre des sexes ? Comment, en un mot, en finir *dans tous les domaines de l'existence* avec le désir infantile et maladif de devenir riche, célèbre ou puissant ?

Si toutes ces questions (et mille autres semblables) – *banales il y a trente ans encore* – sont devenues à peu près inaudibles pour l'électeur de gauche moderne (et, plus encore, pour le cyber-militant des nouvelles radicalités) c'est bien parce qu'elles ont été *ensevelies* sous un « Mai 68 » imaginaire – réduit pour les besoins de la cause à ses seules dimensions étudiantes et parisiennes, elles-mêmes réduites à leur seul aspect « libéral-libertaire » (pour ne pas dire *œdipien*) ; version des événements réels progressivement réécrite et mise en scène par les *spin doctors* de la propagande officielle, avec l'aide de quelques anciens combattants nostalgiques, des communicants spécialisés de l'industrie publicitaire, et de certains universitaires apparemment très fiers d'occuper à nouveau la Sorbonne (mais cette fois, il est vrai, contre un salaire plus conséquent). Ce n'est qu'au terme de cet immense travail de falsification médiatique et mémorielle que *le projet d'une croissance illimitée dans un monde sans frontières* a pu enfin devenir ce qu'il est à présent : l'ultime centre de gravité philosophique de tous les discours de la gauche et de l'extrême gauche post-mitterrandienne. Au point qu'aujourd'hui, la plupart de nos élégants défenseurs d'un « socialisme libéral », auraient probablement la plus grande peine à imaginer quelle objection précise un esprit réellement moderne pourrait encore formuler si, d'aventure on lui proposait – afin de soutenir cette sainte croissance « créatrice de richesses et d'emploi » – de multiplier indéfiniment les usines d'armement et de vendre nos armes les plus perfectionnées aux tortionnaires du monde entier.

– *...La CGT a d'ailleurs des branches dans l'armement...*

– Je sais bien. En même temps vous reconnaîtrez que ce n'est pas aux ouvriers qui travaillent dans ces usines de payer les pots cassés ! Ce n'est pas leur faute si l'organisation capitaliste du travail a conduit à développer – en rupture avec toutes les traditions artisanales – l'existence massive de « sots métiers », c'est-à-dire de « métiers » qui sont soit directement nuisibles, soit privés de tout sens humain, soit même fondés sur des compétences purement rhétoriques et imaginaires, à l'image de ceux qui prolifèrent désormais dans l'encadrement des grandes entreprises ou des administrations modernes. Il faudra donc bien en venir, à un moment ou à un autre, à imaginer des programmes de transition, qui permettront à tous ceux qui sont aujourd'hui contraints de s'avilir dans ces « sots métiers », de se reconvertir progressivement dans des activités réellement utiles à l'espèce humaine, et sans qu'ils aient à en subir les conséquences morales et matérielles.

Mais ce point précisé, il reste qu'aucune société décente ne verra jamais le jour, si l'on renonce par avance à toute critique *morale et philosophique* du détournement des capacités créatrices de l'être humain à des fins contraires au bien commun ; autrement dit à des fins qui ne sont utiles qu'à l'enrichissement de quelques-uns, tout en nuisant à la santé, au bonheur et à l'intelligence critique du plus grand nombre. Quoi qu'on fasse, on retombe donc toujours sur la même question : quels biens une société décente devrait-elle continuer à produire, au bénéfice de qui, dans quelles conditions concrètes, et avec quelles conséquences immédiates et à long terme sur l'environnement ou sur notre propre humanité ? Or une telle question est par définition *philosophique*. Et si, au nom du « réalisme économique » et des exigences de la « concurrence internationale », nous nous refusons à la poser devant le peuple, le maintien des

« équilibres économiques » passera toujours par l'idée philosophiquement absurde (et, à terme, suicidaire) selon laquelle il faut produire *toujours plus de n'importe quoi*, jusqu'à la fin des temps, et quel qu'en soit le prix pour l'être humain et son environnement...

– *Quand j'entends un Premier ministre dire qu'il faut vendre plus d'armes, ça me révolte de façon primaire, je trouve cela honteux ; il faut arrêter de vendre des armes, c'est tout...*

– Dans le cas du commerce des armes, qui sont des machines de mort – et destinées, de préférence, à tuer des civils innocents –, la théologie de la croissance a évidemment des effets dont le caractère indécent saute immédiatement aux yeux (même si nous n'aimons pas trop qu'on nous rappelle qu'il existe très souvent un lien précis entre certains aspects de notre confort matériel – au demeurant très inégalement réparti – et la souffrance d'êtres humains à l'autre bout du monde). Mais la logique est exactement la même qu'il s'agisse d'avions Rafale livrés à une « dictature amie », ou de jeux vidéo imaginés pour nos adolescents. Dans tous les cas de figure, la survie des unités de combat engagées dans la guerre économique mondiale dépend uniquement de leur capacité à fabriquer à un prix toujours plus bas l'ensemble des produits censés trouver un *acheteur* à l'autre bout du monde (puisqu'on sait que, pour un libéral, seule la demande *solvable* possède un sens économique) ; et cela, bien sûr, que ces produits n'aient strictement aucune valeur d'usage, qu'ils s'avèrent nuisibles à la santé physique des individus, ou même qu'ils contribuent à détruire leurs capacités intellectuelles ou morales [1].

Nous retrouvons naturellement ici les analyses de Marx sur notre vieille amie la marchandise. Alors que

---

1. Du fait de leur « interactivité », les jeux vidéo ont un pouvoir de marquage du temps de cerveau disponible infiniment supérieur à celui des simples images télévisées. À ce titre, ils constituent désormais une façon privilégiée d'inculquer à la jeunesse les quelque réflexes culturels de base qui sont indispensables au développement politiquement correct de l'ordre libéral. De ce point de vue il n'est pas indifférent de relever que l'un des jeux vidéo les plus vendus au monde, en ce début d'année 2008, est *Grand Theft Auto IV* (développé par *Rockstar North* et destiné aux nouvelles consoles de la PlayStation 3). Ce nouveau *gameplay* invite les adolescents du monde entier à s'identifier à la situation de Niko Belic – *immigré clandestin fasciné par le rêve capitaliste américain* (*Liberty City*). La façon dont *Leads United* (agence de communication dont l'objectif proclamé est de « *veiller à ce que les groupes-cibles adéquats aient une perception forte des marques, idées et activités de ses clients* ») assure la promotion de ce jeu, est elle-même très intéressante : « Comme à l'accoutumée, le *free roaming* occupe une fois encore une place centrale. Ce concept offre au joueur la possibilité de découvrir *Liberty City* en toute liberté pour gagner de l'argent et exécuter une foule de tâches lucratives, qui lui permettront de monter sans cesse plus haut sur l'échelle de la criminalité. Bien que *la liberté soit le maître mot du gameplay*, le jeu s'articule autour d'un récit composé d'une série de missions principales et secondaires, allant de « pratiques innocentes » comme le déplacement de voitures volées, à des « actes criminels plus lourds », tels que rackets et meurtres » (site de *Leads United*). Voilà un cadeau de Noël idéal pour tous les parents et *éducateurs* qui entendraient mettre en garde leur progéniture contre le caractère odieusement fasciste de toute « frontière » quelle qu'elle soit.

les sociétés primitives privilégiaient la fabrication de biens possédant une valeur d'usage évidente (une couverture, un harpon, une pirogue, etc.) ou bien une valeur symbolique qui leur paraissait fondamentale (un masque de cérémonie, une peinture sacrée, un rituel de danse, etc.) nous aurions bien du mal à trouver, parmi l'immense accumulation de marchandises qui encombre à présent nos centres commerciaux, beaucoup d'objets qui répondent à des besoins humains réels (sinon, *paradoxalement*, à celui de soulager pendant un temps nécessairement très bref les insatisfactions psychologiques qui naissent continuellement de la consommation pour la consommation).

Il est vrai qu'un libéral, surtout s'il est de gauche, répondra aussitôt que c'est là une manière purement « idéologique » d'envisager les choses et qui ne saurait donc concerner la collectivité ; que si quelqu'un, par exemple, juge que son bonheur passe par l'achat du dernier modèle de téléphone portable ou d'un 4x4, c'est son problème personnel et uniquement le sien. Un lecteur de *Libération* ajouterait même qu'une collectivité qui songerait à intervenir dans ce genre de questions manifesterait déjà d'inquiétants penchants totalitaires. D'un point de vue libéral, chacun doit demeurer entièrement libre d'acheter (ou de vendre) *tout* ce qui lui passe par la tête (que ce soit une télévision à écran plasma, une dose de cocaïne, de faux papiers pour franchir une frontière, ou les services d'une prostituée) sans que ni l'État, *ni les autres individus*, n'aient à se prononcer sur ces choix strictement privés.

La force de ces arguments tient à leur apparente évidence. L'hégémonie culturelle des dogmes libéraux est effectivement si complète – depuis maintenant trente ans – qu'il nous est devenu à peu près impossible de contester l'idée que tout jugement sur la manière dont les autres vivent et se comportent (*c'est-à-dire tout jugement moral et philosophique*) constitue nécessairement la première étape du chemin de croix conduisant une « société ouverte » à l'enfer totalitaire ou à la restauration de l'« ordre moral ».

Le simple bon sens devrait pourtant nous avertir que nos conceptions personnelles de la « vie bonne », et les modes de consommation qui les concrétisent en partie, se réduisent rarement à des choix purement individuels. La plupart du temps, elles ont des conséquences directes ou indirectes sur les conditions matérielles, écologiques et morales de la *vie commune*. Si votre voisin décide, par exemple, de cultiver des OGM, de se déplacer en hélicoptère privé ou d'organiser tous les week-ends une *rave party* ; ou si l'envie prend votre employeur d'ouvrir son entreprise le dimanche ou de la délocaliser en Roumanie, vous vous apercevrez très vite que ces choix personnels n'ont pas seulement une dimension privée.

Mais, surtout, le simple bon sens devrait nous conduire à comprendre que cette belle liberté de consommer ce qu'on veut, comme on veut et quand on veut (qui représente désormais le centre névralgique de l'apologétique libérale) est devenue tout à fait problématique, à partir du moment où les techniques de conditionnement publicitaire et de manipulation médiatique ont atteint les niveaux d'efficacité surréalistes qui sont aujourd'hui les leurs.

Le problème c'est que cette double critique – même si, encore une fois, elle relève du simple bon sens – suppose qu'on puisse s'accorder sur une théorie philosophique *minimale* de l'aliénation (ne serait-ce que celle que des parents mobilisent lorsqu'ils mettent leurs enfants en garde contre les effets de la télévision ou des jeux vidéo). Or, aux yeux d'un libéral, cette seule exigence suffit à invalider l'objection. Aucun tribunal moderne ne songerait à examiner la plainte d'un citoyen dénonçant le caractère « aliénant » de la propagande publicitaire, de la « télé-réalité » ou de la presse « people ». Sauf, bien sûr, si on arrivait à retraduire juridiquement le concept d'aliénation en termes d'atteinte à la liberté d'autrui. Mais dans ce cas, la plupart des avocats libéraux auraient alors beau jeu de faire valoir qu'il s'agit seulement là d'une interprétation philosophique parmi d'autres, et non d'un fait empirique avéré. Et l'issue du procès dépendrait donc, comme toujours, du seul rapport des forces en présence.

Comme vous le voyez, les problèmes que pose le libéralisme ont toujours, en dernière instance, la même origine : ils procèdent du fait que le libéralisme est d'abord une philosophie de la mort de la philosophie ou, comme il préfère dire lui-même, une philosophie positiviste de la déconstruction et de la « fin des idéologies ».

– *Quelle différence faites-vous entre le libéralisme « de gauche » et le libéralisme « de droite » ?*

– Historiquement, ils constituent depuis le XVIIIe siècle les deux grandes réponses – à la fois parallèles et complémentaires – au problème central de la politique moderne : à quelles conditions pourrait-on assurer la coexistence pacifique d'individus dont on a admis par hypothèse (et à la lumière des guerres de religion) qu'ils ne pouvaient s'accorder sur aucune valeur morale ou philosophique commune ? [1] La réponse du libéralisme « de droite », ou libéralisme économique, est la plus simple. Elle consiste à dire que si nous voulons vraiment obtenir les conditions de la pacification idéologique recherchée, il est nécessaire (et suffisant) que l'organisation globale de la société repose sur les principes universels du « doux commerce ». La main invisible du marché se chargera alors de régler *automatiquement* tous les problèmes rencontrés, sans que ni l'État, ni un parti, ni une quelconque église, n'aient à *intervenir.*

Quant au libéralisme « de gauche », ou libéralisme politique et culturel, son objectif premier est également la pacification idéologique de la société. La différence, c'est qu'à ses yeux, la réalisation de cet objectif politique doit *d'abord* passer par l'institution

---

1. En empruntant le vocabulaire de John Rawls, on dira que ces individus doivent être supposés « mutuellement indifférents ». Mais, en bon libéral, Rawls va même parfois plus loin. Dans sa *Théorie de la Justice*, il précise ainsi que chacun doit supposer que la place qu'il occupera au sortir de la « position originelle » a été fixée par « son pire ennemi ».

d'un État minimal dont tous les pouvoirs seraient séparés et axiologiquement neutres, et dont l'équilibre purement mécanique (*checks and balances*, disent les Anglo-Saxons) garantirait à chacun la possibilité de vivre comme il l'entend, sous la seule condition que son usage personnel de la liberté ne nuise pas à celle d'autrui. En théorie, cet État minimal a donc pour unique fonction de maintenir l'équilibre entre les différentes libertés rivales, un peu à la manière dont le code de la route est là pour éviter les collisions et non pour vous prescrire une destination particulière.

Il est également nécessaire de préciser qu'à ce stade aucun des deux libéralismes n'exige directement l'élimination de toute morale. Même si tous les libéraux – qu'ils soient de gauche ou de droite – ont toujours eu tendance à voir dans cette dernière un simple masque de l'intérêt égoïste ou de l'amour-propre (ou du « capital symbolique » si nous adoptons le vocabulaire de Bourdieu), leur préoccupation première était, avant tout, de la « privatiser », autrement dit de l'exclure du champ politique ; de veiller, par exemple, à ce qu'aucun citoyen n'ait la mauvaise idée de demander un jour l'interdiction de la propagande publicitaire sur les chaînes de télévision, au nom de sa conception « privée » de l'aliénation ou de la dignité de l'homme. Dans l'optique libérale, chacun demeure donc libre de vivre selon ses propres définitions du bien ou du bonheur, du moment qu'il ne cherche pas à les imposer à autrui. La seule chose que le droit libéral juge légitime d'interdire, ce sont toutes les conduites supposées porter atteinte à la liberté équivalente d'autrui.

– *Sur ce principe, on ne peut qu'être d'accord, non ?*

– Sur le papier, c'est effectivement merveilleux. Et c'est bien pourquoi, d'ailleurs, le libéralisme a toujours été la tentation naturelle de l'homme de gauche, au point qu'aux États-Unis les deux mots sont synonymes. Le problème, c'est que cette séduisante machinerie intellectuelle repose en dernière instance sur un critère – le fait de ne pas nuire à autrui – dont la simplicité apparente dissimule en réalité des problèmes insolubles, dès lors qu'il est interdit de prendre le moindre appui sur des jugements moraux ou philosophiques.

Prenons par exemple la question du port du voile à l'école. Je peux, bien sûr, interdire ce dernier au nom du droit des femmes : le voile est un symbole de soumission, donc il porte atteinte à la liberté des femmes, donc il tombe sous le coup de la loi commune. Mais un avocat libéral (et de nos jours, l'expression n'est pas loin d'être un pléonasme) pourra tout autant présenter cette interdiction comme une atteinte à la liberté religieuse et un signe manifeste d'« islamophobie [1] ».

1. D'où, généralement, des situations cocasses à n'en plus finir. Lorsque, par exemple, le tribunal de grande instance de Lille a prononcé, en avril 2008, l'annulation d'un mariage pour « erreur sur une qualité essentielle de la mariée », la plupart des organisations de gauche se sont empressées de dénoncer dans cette décision effectivement assez curieuse, un intolérable retour aux formes les plus archaïques de l'ordre moral (on se reportera ici à l'appel, particulièrement grotesque, paru dans *Libération* du 31 mai 2008). Cela signifie, autrement dit, qu'un certain nombre d'intellectuels de gauche en sont arrivés à un tel point de *décomposition mentale* qu'ils ne parviennent même

Le problème serait exactement le même si vous deviez arbitrer entre fumeurs et non-fumeurs, entre écologistes urbains – partisans du loup – et bergers et pay-

---

plus à reconnaître dans cette décision juridique la simple mise en œuvre de *leurs propres convictions*. Car le TGI de Lille, en bonne institution *libérale*, s'est en effet bien gardé, dans son jugement, de porter la moindre appréciation philosophique sur le fond du problème (une femme doit-elle *obligatoirement* arriver vierge au mariage, comme le soutient la religion musulmane ? Ou doit-elle, au contraire, *obligatoirement* y arriver non-vierge, comme le pensent la plupart des lecteurs de *Libération* ? Et si oui, quel nombre précis d'amants doit elle avoir eus pour que son mariage puisse être juridiquement validé ?). Les magistrats de Lille n'ont précisément considéré en l'occurrence, que la *forme même du contrat*, et cela pour en conclure *de manière très moderne* (ou très positiviste) qu'il y avait eu tromperie sur la marchandise et que le contrat devait donc être annulé. De la même façon, en somme, qu'un lecteur de *Libération* qui estimerait que la consommation de drogues est une affaire purement privée, pourra soutenir très logiquement, par ailleurs, que cela ne donne aucunement le droit à son dealer habituel de remplacer la cocaïne *promise* par du sucre en poudre ; et donc qu'un tribunal digne de ce nom se devrait d'annuler le *deal* en question si tel était le cas. Signalons, au passage, un autre dégât collatéral de cette intelligente croisade : si je condamne comme rétrogrades les conceptions de l'islam sur la virginité nécessaire des jeunes mariées, n'est-il pas clair, en effet, que je sombre dans l'*islamophobie* la plus caractérisée et par conséquent – selon la thèse bien connue de Mouloud Aounit et de son MRAP – dans le racisme le plus abject qui puisse être ? On attend donc avec impatience et intérêt le procès que Mouloud Aounit – s'il a un minimum de cohérence morale et intellectuelle – ne manquera pas d'intenter à *Libération* et aux pétitionnaires du 31 mai (surtout si le procès se déroule à Lille).

sans, partisans de l'agneau [1] ; ou encore entre le travailleur qui défend son droit à dormir après une dure journée d'exploitation et le jeune bourgeois qui fait valoir son « droit à la *teuf* » et à une vie libérée des normes communes.

Il ne serait pas très difficile, bien sûr, de trouver des arrangements *raisonnables* susceptibles de résoudre ce type de dispute. Dans la plupart des cas, il suffirait, par exemple, de s'en tenir aux prescriptions du bon sens et de la *common decency*. Seulement, à partir du moment où vos postulats idéologiques vous obligent à adopter une démarche strictement technique et procédurale, cette solution vous est, par définition, interdite. Du coup, les juristes libéraux disposent d'une marge de manœuvre très limitée. La seule issue logique (ou la solution de facilité) sera donc d'observer d'un regard aussi neutre que possible les développements concrets de cette nouvelle guerre de tous contre tous, de compter les coups et, au final, de régler le curseur de la loi sur le résultat provisoire de ces combats ; en d'autres termes de régulariser indéfiniment ce que la gauche

1. La fable de La Fontaine, *Le Loup et l'Agneau*, semble un bon test pour distinguer l'ancien homme de gauche de sa version moderniste actuellement triomphante. L'homme de gauche d'autrefois, quand il lisait cette fable, sympathisait d'emblée avec l'agneau (qui représentait, à ses yeux, le Peuple, éternelle victime des exactions des Puissants). L'homme de gauche moderne, comme on le voit, a tendance, au contraire, à préférer le loup. Sans doute une réminiscence inconsciente de l'idée libérale selon laquelle *l'homme est un loup pour l'homme*.

moderne appelle pour sa part, avec un bel enthousiasme darwinien, « l'évolution des mœurs » (comme s'il s'agissait là d'un double de l'évolution biologique, sur laquelle les humains n'auraient absolument aucune prise [1]). La pente naturelle du Droit libéral est, par conséquent, de s'aligner automatiquement sur la « nécessité » des faits, en écartant systématiquement toute interrogation morale et philosophique sur cette supposée nécessité. Si, par exemple, la consommation de drogues se banalise, alors elle doit être légalisée.

Il ne faut évidemment pas chercher plus loin la raison récurrente qui conduit le libéralisme politique et culturel (et donc toute nouvelle gauche) à toujours

---

1. « La société moderne se présente comme le lieu de la satisfaction de toute demande ; *cela s'appelle le progrès* » (Jean-Claude Milner, *Les Penchants criminels de l'Europe démocratique*, Verdier, 2003, p. 104). Utilisant d'une façon fascinante la distinction lacanienne entre le « tout limité » et le « tout illimité » (ou *pastout*), Milner déduit du développement conjoint de cette société moderne (qui « ne rencontre plus rien sinon sa propre illimitation ») et d'une « humanité pas-toute » (qui en aurait fini avec la *quadriplicité*, c'est-à-dire avec la différence des sexes et celle des générations) la double certitude que « l'antijudaïsme sera la religion naturelle de l'humanité à venir » et que L'Europe telle qu'elle advient sera le berceau privilégié de cet antijudaïsme (*ibid.*, p. 127). On peut assurément discuter une telle thèse, mais l'essai de Milner – par son intelligence exceptionnelle – constitue à coup sûr, l'une des réflexions les plus troublantes qui ait jamais été conduite sur les dérives logiques de la modernité libérale. Ce qui suffit à expliquer la façon assez cavalière dont il a été reçu.

se rallier, à un moment ou à un autre, à l'économie de marché. Il s'agit là d'une simple nécessité structurale. Livré à la seule logique, le Droit libéral est, en effet, inexorablement condamné à une *fuite en avant* perpétuelle, dont la seule fin concevable (et d'ailleurs revendiquée comme telle par les « nouvelles radicalités » parisiennes) ne pourrait être que ce « droit de tous sur tout » [1] qui définissait, aux yeux de Hobbes, le principe même de la guerre de tous contre tous. En d'autres termes, le Droit libéral – du fait de sa neutralité axiologique (ou de son positivisme) – ne peut s'adosser à aucun principe philosophique d'autolimitation (c'est sa grande différence avec les Droits traditionnels). Il ne peut donc s'accomplir réellement que comme *droit d'avoir des droits*, extensible à l'infini. Au passage, c'est ce qui explique que dans l'imaginaire du libéralisme développé, toute loi existante finit nécessairement par être *vécue* comme provisoire ; et qu'à ce titre, elle peut donc être désobéie dès à présent, au nom de la loi qui ne manquera pas de lui succéder – du fait de l'évolution des mœurs. Cette *légalisation perpétuelle de l'illégalisme* – qui est l'envers logique de la tendance à légiférer sur tout – peut naturellement se draper, à l'occasion, dans les formes de la vieille « désobéissance civile » des républicains, des socialistes et des anarchistes. Mais, *en réalité*, elle n'en constitue, la plupart du temps, que la contrefaçon

1. On remarquera que cette formule correspond exactement à la fin de *toutes* les discriminations. Le droit naturel hobbesien est donc bien le *dernier* mot (prononcé ou non) de tous les programmes de l'extrême-gauche libérale.

libérale – comme le prouve abondamment la facilité déconcertante avec laquelle les bourgeois libéraux modernes s'accommodent sans le moindre problème de conscience, de la fraude fiscale, des passe-droits et de tous les illégalismes. À la différence de l'ancienne noblesse – ou même de la vieille bourgeoisie historique qui jalousait encore cette noblesse – *bourgeoisie moderne n'oblige plus à rien*. D'où la fascination bien connue, et bien naturelle, des enfants élevés dans cette classe sociale pour la *caillera*, et pour ce que les médias et la sociologie officielle célèbrent en permanence comme la *culture des banlieues*.

La grande supériorité philosophique du libéralisme économique, au contraire, c'est qu'il a toujours su offrir aux individus « désassociés » (selon le mot de Pierre Leroux) l'assurance d'un *langage commun* minimal : celui de l'intérêt bien compris et du donnant-donnant. « Quand il s'agit d'argent – écrivait ainsi Voltaire – *tout le monde est de la même religion*. » Et il suffit effectivement de se rendre dans n'importe quel bazar ou « marché aux puces » pour comprendre immédiatement ce que ce grand libéral voulait dire. Que l'économie (et donc, avec elle, le culte de la croissance et de la consommation) soit devenue *la religion de substitution* des sociétés modernes est donc parfaitement logique. Dans une société libérale développée, le Marché doit *toujours* finir par apparaître comme l'unique moyen « axiologiquement neutre », qui puisse réunir à nouveau ces individus que le libéralisme politique et culturel ne cesse de séparer et de dresser les uns contre les autres (que ce soit sous l'effet de son individualisme radical, de son « multiculturalisme » ou d'un vague bricolage « citoyen » entre les deux). Ce jeu de bascule pourrait être résumé de la façon suivante : plus le Droit libéral et sa culture relativiste séparent, plus le Marché libre et la logique des affaires doivent réunir. En d'autres termes, plus la nouvelle gauche s'efforce de développer à l'infini les axiomes du libéralisme politique et culturel, plus il lui faut chercher dans l'économie de marché les crans d'arrêt objectifs, capables de suppléer à la disparition du sens commun et de la morale commune qu'elle a ainsi organisée. C'est naturellement en ce sens que j'ai parlé de l'unité du libéralisme. Je désignais par là l'unité dialectique de cette *double pensée*, dont les deux moments constitutifs se développent en permanence, au moins depuis le XVIIIe siècle, de façon à la fois parallèle et complémentaire.

Je m'empresse d'ajouter que cette « solution » idéologique (qui présente, au passage, l'avantage de rendre beaucoup moins mystérieuse l'histoire politique de ces trente dernières années) est elle-même profondément illusoire. Il faudrait être vraiment naïf, ou très mal informé, pour croire que le ralliement à « l'économie de marché » symbolise la victoire du « réalisme » sur l'« idéologie » et la rêverie utopique. En réalité, on ne fait jamais que déplacer la question. Comme la logique du marché est elle-même fondée sur le principe de concurrence généralisée – c'est-à-dire sur la rivalité mimétique – elle ne peut conduire qu'à relancer à son tour et sous d'autres formes (sans doute encore plus terribles) cette guerre de tous contre tous que l'on voulait initialement éviter. Comme chacun a désormais l'occasion de le vérifier par lui-même, le « doux commerce » de Montesquieu trouve sa vérité quotidienne dans cette *guerre économique mondiale* que programme l'OMC (dont il n'est pas inutile de rappeler que l'actuel directeur général – le « socialiste » Pascal Lamy – est l'un des défenseurs les plus fanatiques du libéralisme politique et culturel). Et il y a tout lieu de penser que cette guerre programmée sera de plus en plus impitoyable et sanglante.

La racine du problème est donc toujours la même, quelle que soit la version du libéralisme adoptée : à partir du moment où l'on a décidé, par principe, de se placer à un point de vue purement « technique » et « axiologiquement neutre » – que ce soit celui du Droit procédural ou celui du Marché concurrentiel – la question de savoir comment accorder les libertés rivales dans un monde d'individus supposés égoïstes devient philosophiquement insoluble. C'est pourquoi, sous la gestion libérale des sociétés, la guerre de tous contre tous, est destinée à s'étendre indéfiniment [1]...

---

1. Hobbes, qui était moderne sans être libéral, avait vu dans le pouvoir absolu du *Léviathan* l'unique moyen de protéger les individus contre la guerre de tous contre tous. Avec la société libérale développée, ces deux principes antinomiques figurent donc désormais dans le même paquet métaphysique. Plus, en effet, les individus – dans l'ordre vertical – se trouvent soumis à la domination absolue du Marché et de l'État représentatif (ce sont les deux formes complémentaires du *Léviathan* libéral), plus la guerre de tous contre tous doit apparaître comme la loi effective de leur coexistence horizontale – sous la triple forme de la concurrence économique, de la querelle

– *Parce qu'il n'y a plus de règle morale…*

– … Ni de règles morales, ni de principes philosophiques communs comme, par exemple, une théorie minimale de l'aliénation, du partage des richesses, de l'essence de l'homme ou de la beauté de la nature [1].

---

procédurière permanente, et de *l'incivilité généralisée* qui en résulte inexorablement.

1. Si la *common decency* a toujours joué un rôle central dans les révoltes de la classe ouvrière, cela ne signifie pas pour autant que la sensibilité socialiste puisse être *réduite* à une morale (ni même à une anthropologie du don). Elle est, en réalité, inséparable d'autres choix philosophiques. Quand, par exemple, les habitants d'une région se mobilisent pour soustraire *la beauté d'un site naturel local* aux griffes d'un bétonneur particulièrement rapace, il leur faut bien, pour légitimer leur combat, engager une philosophie esthétique minimale (voire une théorie déjà plus sophistiquée des rapports entre nature et artifice). C'est d'ailleurs généralement à cette occasion que *les enjeux pratiques* du relativisme esthétique libéral peuvent apparaître dans toute leur clarté. Au nom de quoi – répondra, en effet, le bétonneur postmoderne – ce nouveau centre commercial géant ne pourrait-il pas être dit aussi *beau* que la forêt ou la crique qu'il doit remplacer ? D'ailleurs, ne sait-on pas – ajoutera-t-il – qu'il est impossible de discuter des goûts et des couleurs sans réintroduire aussitôt les conditions de la guerre civile de religion ? Et puisqu'il semble impossible de s'accorder sur un « grand récit » esthétique commun, le moyen le moins discutable de trancher pratiquement la question sera donc de s'en remettre à la sagesse axiologiquement neutre du Marché. S'il apparaît donc que la construction de cet amas de béton aura des « retombées positives » pour le « développement économique local », ce sera la façon libérale de nous dire que cet amas est beau.

Le libéralisme, exclut, *par définition*, toute idée d'une morale commune (« chacun a sa propre morale » est probablement l'idée que l'on rencontre le plus souvent dans les copies du baccalauréat – signe que la jeunesse assimile beaucoup plus facilement les leçons du Système que celles de ses professeurs). Naturellement, quand je parle ainsi de « morale commune », je ne fais que reprendre cette notion de *common decency* qui définissait, selon Orwell, le cœur de toute révolte socialiste.

C'est un point sur lequel il me paraît important de s'arrêter un instant, car la stratégie habituelle des libéraux – surtout à gauche – est de transformer immédiatement toute référence à des valeurs morales en un appel à restaurer l'« ordre moral » ou à instituer une société totalitaire. Or, ce qu'Orwell appelle la *common decency* n'a évidemment rien à voir, de près ou de loin, avec ce que j'ai appelé par ailleurs une « idéologie du Bien » (ou encore une « idéologie morale ») ; c'est-à-dire avec ces constructions métaphysiques arbitraires, généralement liées aux dogmes d'une église ou à la ligne d'un parti, et qui ont toujours servi, dans l'histoire, à cautionner le pouvoir d'une élite ou d'une inquisition quelconque. Une idéologie du Bien peut, ainsi, décréter que l'homosexualité représente un péché contre la volonté de Dieu ou – variante stalinienne – une déviance petite-bourgeoise. On saisit aussitôt ce qui distingue ce genre de catéchisme moralisateur des invitations traditionnelles à la bienveillance, à l'entraide ou à la générosité qui ont toujours constitué l'essence même de la *common decency*. Il est, en effet, *évident* qu'il ne peut exister aucune relation *a priori* entre l'orientation sexuelle d'un individu et son comportement moral effectif : tel « homosexuel » (en admettant qu'il tienne à se définir par ce seul aspect de sa personnalité) sera profondément généreux et honnête, tandis qu'à l'inverse, son voisin « hétérosexuel », pourra se montrer égoïste et immature – uniquement soucieux d'accumuler pouvoir, richesse et « célébrité ». La volonté orwellienne de réenraciner le projet socialiste dans les valeurs traditionnelles de la *common decency*, se situe donc aux antipodes du moralisme qui caractérise les idéologies du Bien.

– *Comment peut-on traduire en français ce terme de common decency ?*

– Le terme est habituellement traduit par celui d'« honnêteté élémentaire », mais le terme de « décence commune » me convient très bien. Quand on parle de revenus « indécents » ou, à l'inverse, de conditions de vie « décentes », chacun comprend bien, en général (sauf, peut-être, un dirigeant du Medef) qu'on ne se situe pas dans le cadre d'un discours puritain ou moralisateur. Or c'est bien en ce sens qu'Orwell parlait de « société décente ». Il entendait désigner ainsi une société dans laquelle chacun aurait la possibilité de vivre honnêtement d'une activité qui ait réellement un sens humain. Il est vrai que ce critère apparemment minimaliste implique déjà une réduction conséquente des inégalités matérielles. En reprenant les termes de Rousseau, on pourrait dire ainsi que dans une société décente « nul citoyen n'est assez opulent pour pouvoir en acheter un autre, et nul assez pauvre pour être contraint de se vendre [1] ». Une définition plus précise des écarts moralement acceptables supposerait, à coup sûr, une discussion assez poussée. Mais, d'un point de vue philosophique, il n'y a là aucune difficulté de principe [2]. J'ai récemment appris, par exemple, qu'il existait désormais à Paris un *palace* réservé aux chiens et aux chats des riches. Ces charmantes petites bêtes – que vous aimez sans doute autant que moi – s'y voient servir dans des conditions parfaitement surréalistes (et probablement

1. *Le Contrat social*, Livre II, chap. XI.

2. Orwell avait d'ailleurs sur la question une position ouverte et pragmatique. « Il est vain de souhaiter, dans l'état actuel de l'évolution du monde – écrit-il ainsi dans *Le Lion et la Licorne* – que tous les êtres humains possèdent un revenu strictement identique. Il a été maintes fois démontré que, en l'absence de compensation financière, rien n'incite les gens à entreprendre certaines tâches. Mais il n'est pas nécessaire que cette compensation soit très importante. Dans la pratique, il sera impossible d'appliquer une limitation des gains aussi stricte que celle que j'évoquais. Il y aura toujours des cas d'espèce et des possibilités de tricher. *Mais il n'y a aucune raison pour qu'un rapport de un à dix ne représente pas l'amplitude maximum admise.* Et à l'intérieur de ces limites, un certain sentiment d'égalité est possible. Un homme qui gagne trois livres par semaine et celui qui en perçoit mille cinq cent par an peuvent avoir l'impression d'être des créatures assez semblables [*can feel themselves fellow creatures*] ce qui est inenvisageable si l'on prend le duc de Westminster et un clochard de l'Embankment », *Essais, Articles, Lettres*, vol. 2, éditions Ivrea/ L'Encyclopédie des nuisances, 1996, p. 126).

humiliantes pour les employés qui sont à leur disposition) une nourriture d'un luxe incroyable. Le coût de ces prestations est, comme on s'en doute, astronomique. Eh bien, je suis persuadé que dans un monde où des milliers d'êtres humains meurent chaque jour de faim – et où certains, dans nos sociétés occidentales, ne disposent pas d'un toit pour dormir, alors même qu'ils exercent un travail à temps complet –, la plupart des gens ordinaires s'accorderont à trouver une telle institution parfaitement *indécente*. Et il en irait probablement de même si j'avais pris comme exemple le salaire des vedettes du football professionnel ou des stars politiquement correctes du *show-biz*. Or pour fonder de tels jugements, il est certain que nous n'avons pas besoin de théorisations métaphysiques très compliquées. Une théorie minimale de la *common decency* suffirait amplement. Dans son *Essai sur le don*, Mauss en a d'ailleurs dégagé les conditions anthropologiques universelles : le principe de toute moralité (comme de toute coutume ou de tout sens de l'honneur) c'est toujours – observe-t-il – de se montrer capable, quand les circonstances l'exigent, de « donner, de recevoir et de rendre [1] »...

1. Si on accepte de voir dans la morale commune *moderne* (ou *common decency*) une simple réappropriation *individuelle* des contraintes collective du don *traditionnel* (tel que Marcel Mauss en a dégagé les invariants anthropologiques) on pourra assez facilement en définir les maximes générales : savoir donner (autrement dit, être capable de générosité) ; savoir recevoir (autrement dit, savoir accueillir un don comme un don *et non comme un dû ou un droit* ; savoir rendre (autrement dit, être capable de reconnaissance

– *... C'est aussi le simple bon sens, non ?*

– Bien sûr. Il arrive d'ailleurs un moment où les revenus des plus riches atteignent de tels sommets qu'ils finissent presque par apparaître encore plus absurdes qu'indécents. Chez Orwell, la *common decency* et le *common sense* (c'est-à-dire le « bon sens ») sont, d'ailleurs, intimement liés. Dans son essai sur James Burnham, il souligne, ainsi, qu'il n'était pas nécessaire d'avoir fait de brillantes études universitaires pour comprendre immédiatement qu'Hitler et Staline n'étaient pas des individus recommandables. Il suffisait pour cela – écrit-il – d'un minimum de sens moral. Si tant d'intellectuels – parmi les plus brillants du XXe siècle – ont donc cédé aussi facilement à la tentation totalitaire – au point d'en perdre tout bon sens et d'écrire des textes *hallucinants* – ce n'est certainement pas parce que l'intelligence ou les outils

---

et de gratitude). On pourra également en déduire les fondements moraux de toute éducation véritable (que ce soit dans la famille ou à l'école) : ils se résumeront toujours, pour l'essentiel, à l'idée qu'à l'enfant humain *tout n'est pas dû* (contrairement à ce qu'il est initialement porté à croire) et qu'en conséquence, il est toujours nécessaire de lui enseigner, sous une forme compatible avec sa dignité, que le monde entier n'est pas *à son service* (sauf, bien entendu, si le projet explicite des parents est de faire de leur enfant un exploiteur ou un politicien – ou, d'une manière plus générale, un manipulateur et un *tapeur)*. Il suffirait, d'ailleurs, d'inverser ces principes socialistes pour obtenir automatiquement les axiomes de toute *éducation libérale* (et notamment l'idée décisive que l'enfant doit être placé en permanence *au centre* de tous les processus éducatifs).

philosophiques leur faisait défaut (les intellectuels français les plus délirants ont, du reste, très souvent été formés à l'École normale supérieure ; c'est presque une marque de fabrique). En réalité – nous dit Orwell – il faut rechercher l'explication de leur folie politique dans leur manque personnel de *common decency* – manque qui a forcément quelque chose à voir avec l'égoïsme, l'immaturité et le besoin de s'imposer aux autres (c'est, d'ailleurs, la raison pour laquelle ce genre d'intellectuel éprouve traditionnellement un mépris sans limites pour la morale commune, supposée être « petite-bourgeoise » ou « judéo-chrétienne »). Dès que quelqu'un cède au *délire idéologique* (qu'on songe au culte hystérique dont Mao – l'un des plus grands criminels de l'histoire moderne – a pu être l'objet), on peut donc être quasiment sûr que l'on trouvera les clés de sa folie intellectuelle en observant la façon concrète dont il se comporte avec les autres dans sa propre vie quotidienne. Les fanatiques et les inquisiteurs (ceux que Dostoïevski appelait les « possédés ») sont presque toujours de grands pervers. Et ce sont aussi, paradoxalement, de grands *donneurs de leçons*.

– *Nous allons revenir, Jean-Claude Michéa, sur une question déjà évoquée, mais que j'aimerais vous voir approfondir. Pour ce faire, je lirai une citation – un peu longue – de votre livre. On la trouve en pages 164 et 165 de* L'Empire du moindre mal. *Je cite : « On sait que Stendhal tenait en haute estime l'œuvre de Fourier, ce "rêveur sublime ayant prononcé un grand mot : Association". Dans ses* Mémoires d'un touriste, *il élève, cependant, contre l'idée de phalanstère, une objection fondamentale, de nature à compromettre, selon lui, toutes les tentatives d'"association" proposées par les différents courants du socialisme alors naissant. Fourier – écrit-il – "n'a pas vu que dans chaque village, un fripon actif et beau parleur (un Robert Macaire) se mettra à la tête de l'association et pervertira toutes ses belles conséquences". Une telle critique, contrairement aux apparences, est très différente de celle des libéraux. Stendhal ne soutient pas (du moins dans ce texte précis) que c'est la nature même de l'homme qui rendrait utopique le projet d'une société solidaire et fraternelle. Il souligne simplement que les socialistes, sans doute par excès d'optimisme, ont systématiquement oublié que la volonté de puissance qui caractérise certains individus conduirait toujours à l'échec les entreprises politiques les mieux intentionnées. Si par anarchisme on entend le projet d'un monde où les "Robert Macaire" seraient, sinon impossibles eux-mêmes, du moins dans l'impossibilité pratique de s'emparer du pouvoir et d'arriver à leurs fins, il est donc beaucoup plus exact de dire que Stendhal soulève ici la question anarchiste par excellence. » Pouvez-vous nous en dire davantage sur cette « question anarchiste par excellence » ?*

– Nous avons déjà évoqué le sujet, mais vous avez raison d'y revenir parce que c'est effectivement une question politique essentielle. Et pas seulement politique, d'ailleurs, car le besoin pathologique de s'immiscer dans la vie des autres, de la contrôler, voire de l'organiser peut se manifester à *tous* les niveaux de l'existence – de l'activité militante à la vie amoureuse. Qu'est-ce que la jalousie, par exemple, sinon ce sentiment effrayant qui fait qu'un sujet est fondamentalement incapable de supporter une liberté autre que la sienne ? Or si la volonté de puissance s'avère si dangereuse et particulièrement sur le plan politique, c'est tout d'abord – comme je l'ai déjà souligné – parce que ceux qu'elle anime le plus intensément en sont, en général, les derniers informés. Et ensuite – mais les deux choses sont liées –, parce qu'elle s'exerce, dans la majorité des cas, sous des formes obliques et particulièrement difficiles à appréhender [1]. C'est d'ailleurs cette difficulté qui a conduit certains auteurs à proposer le concept

1. Il y a au moins un signe qui ne devrait jamais tromper, quant à la présence de ces conflits de pouvoir inconscients. C'est lorsque le fonctionnement d'un groupe politique *commence à ressembler à une cour de récréation* : disputes et chicanes à propos de n'importe quoi ; formation incessante de clans et de sous-clans aux frontières toujours recomposées ; brouilles immédiates pour un regard de travers ou une marque de préséance refusée ; ergotages à n'en plus finir pour savoir qui a commencé le premier ; jalousies et venin. C'est dans cette atmosphère tristement empoisonnée par les conflits d'ego que la *scission idéologique permanente* (avec son cortège d'excommunications fulminantes et de mises au point définitives) devient peu à peu – comme chez les paramécies – le principal mode de reproduction de la secte. On reconnaîtra facilement, dans cette description, le travers majeur de l'Internationale situationniste (on sait qu'à la fin, seuls trois membres n'avaient pas été exclus – dont Debord lui-même) et la véritable cause politique, *jamais critiquée*, de sa « part d'échec ». Il est malheureusement très symptomatique que ce soit précisément ce défaut de l'IS qui ait fasciné

de « harcèlement », afin de formaliser quelques-unes des figures les plus insidieuses de la domination ; concept certainement utile, mais qui, du fait de son imprécision constitutive, autorise à son tour bien des abus et des dérives juridiques.

Il est donc absolument indispensable que tous ceux qui estiment qu'il y a encore un sens à combattre collectivement pour un monde libre, égalitaire et décent, accordent une attention renouvelée à cette perversion aussi ancienne que l'homme (comme les mythes religieux l'attestent abondamment), mais dont je continue à penser, à la suite d'Orwell, que la plupart des « gens ordinaires » en sont – du moins pour l'instant encore – globalement protégés. En tout cas, infiniment mieux protégés que les membres de la classe dominante, que leur mode de vie privilégié déresponsabilise et maintient ainsi dans l'immaturité [1]. Il me semble, à la lumière de l'expérience

---

une grande partie de ses héritiers *et de ses imitateurs* dans le monde ambigu de la critique radicale. À ce simple détail (et même en se souvenant que Zarathoustra ne va nulle part *sans son singe*) on mesure tout le chemin qui reste à parcourir…

1. S'il y a bien une leçon que l'on retrouve dans toutes les *sagesses* traditionnelles (une sagesse étant le savoir que confèrent l'expérience et la maturité), c'est que le pouvoir, la richesse et la notoriété – en séparant l'homme de lui-même, de ses semblables et de la réalité – infantilise nécessairement ceux qui en sont les victimes (c'est-à-dire les maintient ou les replonge dans leur égoïsme infantile).

historique, qu'on pourrait, par exemple, s'accorder sur les quelques principes suivants.

Le premier, c'est évidemment la nécessité d'assurer en permanence la rotation de *toutes* les fonctions dirigeantes. Aucun militant ne devrait *jamais* pouvoir s'installer durablement à la tête d'une association, d'un parti ou d'un syndicat – du moins lorsque ceux-ci ont atteint une certaine ampleur. Le statut de dirigeant permanent (ou de « révolutionnaire professionnel », selon l'expression de Lénine) est clairement incompatible avec les exigences morales de tout combat pour une société égalitaire. Malatesta avait d'ailleurs l'habitude de souligner que « le fonctionnaire est dans le mouvement ouvrier un danger comparable au parlementarisme ». Ce principe démocratique essentiel n'implique évidemment pas que l'activité militante se réduise à une participation épuisante de tous à des assemblées générales continuelles ou à des réunions interminables. On sait bien d'ailleurs qu'une telle manière de fonctionner ne pourrait convenir qu'à des militants habités par un idéal ascétique et sacrificiel – et dont l'engagement, à ce titre, serait moralement et psychologiquement suspect. La « solution grecque », en revanche, me paraît plus raisonnable. « La démocratie – disait Aristote – c'est le régime dans lequel les citoyens sont tour à tour gouvernants et gouvernés. » C'est donc plutôt sur les moyens concrets d'organiser ce « tour à tour » qu'une organisation radicale devrait réfléchir – sans s'interdire, par ailleurs (et comme les Grecs) – le recours ponctuel aux procédures du tirage au sort (plutôt qu'au « vote à main levée », cher à tous les apprentis bureaucrates).

Un second principe, au moins aussi important, c'est qu'une organisation radicale devrait toujours entretenir un rapport de méfiance *a priori* avec les médias officiels (c'est là un problème que les contemporains d'Aristote avaient, naturellement, la chance d'ignorer). C'est, en effet, au cours des années 1960 qu'est apparue aux États-Unis l'idée assez curieuse que, dans une société moderne, le moyen le plus efficace de faire avancer les idées radicales serait de « prendre les médias à leur propre piège » en jouant à fond la carte de la médiatisation. Dans cette nouvelle logique, les formes de luttes devaient donc être définies, avant tout, en fonction de leur aspect *spectaculaire*, c'est-à-dire de l'écho médiatique qu'elles étaient susceptibles de rencontrer. On sait à présent à quel point cette illusion s'est révélée meurtrière. Chaque fois que vous croyez utiliser les médias – observait ainsi Tod Gitlin [G] – ce sont en réalité les médias qui vous utilisent. Ce sont eux, par exemple, qui vont choisir de médiatiser tel ou tel porte-parole du mouvement radical, en fonction de leur propre logique et de leurs propres critères. On l'a, du reste, bien vu en 1968, lorsque ces médias n'ont mis que quelques jours pour dénicher Daniel Cohn-Bendit et Alain Geismar (le futur député européen et le futur inspecteur général) et pour construire leur image – apparemment toujours utilisable – de « leaders historiques du mouvement ». Ou encore, lors de la dernière élection présidentielle, lorsque ces mêmes médias ont pratiquement décidé eux-mêmes – en court-circuitant tous les appareils politiques – que Ségolène Royal *serait* la candidate de la gauche. Cela pour ne rien dire – entre mille autres cas historiques – de la transformation exemplaire d'Ernesto Guevara en icône définitive de la Révolution (son image est, de nos jours encore, la plus vendue au monde) – au détriment d'autres guérilleros de l'époque, dont les convictions étaient assurément plus démocratiques, mais dont la *photogénie* était beaucoup moins évidente. Si le « Che » avait ressemblé à Louis de Funès, je ne suis pas sûr qu'Olivier Besancenot aurait eu l'idée d'écrire son livre [1].

---

1. Olivier Besancenot, Michaël Löwy, *Che Guevara, une braise qui brûle encore*, La Découverte, 2007. Quant à la philosophie politique réelle du « Che », elle avait au moins le mérite de la clarté : « La haine comme facteur de lutte ; la haine intransigeante de l'ennemi, qui pousse au-delà des limites naturelles de l'être humain et en fait une efficace, violente, sélective et froide machine à tuer. Nos soldats doivent être ainsi » (*Créer deux, trois, de nombreux Viêtnam*, *Œuvres*, t. III, Maspero, 1968, p. 309). Comme on peut le voir, on est ici infiniment plus près du Sentier lumineux et des FARC, que des combats émancipateurs d'un Voline ou d'un Durruti. Soulignons, au passage, que le meilleur livre sur Guevara (épuisé depuis longtemps, et *absent de toutes les bibliographies*) demeure celui de Léo Sauvage, *Le Cas* Guevara, La Table Ronde, 1971. Du même auteur, on signalera également son *Autopsie du castrisme*, Flammarion, 1962). Écrit quelques mois seulement après la prise de pouvoir par Castro et Guevara (et après la « disparition » opportune de Camilo Cienfuegos et l'élimination d'Hubert Matos) ce petit livre orwellien décrivait avec une lucidité stupéfiante

Il serait donc bienvenu de reprendre sous une forme adaptée à notre époque, la vieille maxime d'August Bebel : « Quand l'ennemi de classe accepte de me médiatiser, je me demande toujours quelle bourde j'ai encore bien pu commettre. » Si TF1 ou Canal Plus décident de vous envoyer trois journalistes chaque fois que votre association réunit trois cents personnes, il est effectivement temps de vous interroger sur ce que vous êtes réellement en train de dire et de faire – *surtout* si quelques-unes des stars les plus glauques du show-biz ont jugé excellent pour leur image de parader à vos côtés [1].

Ce principe est d'autant plus important que les médias, comme on vient de le dire, ne médiatisent par définition que ce qu'ils veulent bien médiatiser. Qu'est-ce que le grand public est ainsi autorisé à savoir *concrètement* des milliers d'expériences de vie autogérée ou coopérative qui se développent, en France ou dans le monde entier – que ce soit, par

---

la trahison inéluctable de la révolution populaire au profit d'une variante tropicale du stalinisme.

1. Ou quand, par exemple, Jean-Pierre Foucault accepte de poser l'une de ses inimitables questions (en l'occurrence « Quel est le mot interdit au scrabble : Zee, Zoe, Zou ou Zic ?) afin que TF1 puisse contribuer à hauteur de soixante-douze mille euros au financement du *Réseau éducation sans frontières* (« Qui veut gagner des millions ? », émission du jeudi 3 juillet 2008). Il est sûr qu'il va falloir maintenant beaucoup de subtilité dialectique aux têtes pensantes du Réseau pour expliquer à leurs ouailles le sens d'un si beau geste, de la part de la principale chaîne de propagande d'un État qu'elles jugent officiellement *raciste* et *policier*.

exemple, les « systèmes d'échange locaux », le secteur « informel » africain, les « villes lentes » italiennes ou les structures d'autodéfense de l'agriculture paysanne ? Ou, d'une façon plus générale, de tous les actes de résistance quotidiennement accomplis par des gens ordinaires, dès lors qu'ils ne se prêtent à aucune instrumentalisation rentable de la part des différentes bureaucraties politiques, syndicales ou associatives ? Je me souviens, par exemple, avoir tout fait, il y a quelques années, pour convaincre les deux ou trois journalistes que je connaissais d'enquêter sur les combats exemplaires menés en Haute-Loire – et depuis 1993 ! – par les militants de la Ramade (généralement issus de la mouvance situationniste) [H]. Rien, pourtant, n'a jamais été autorisé à filtrer, tant ces luttes radicales ne cadraient en rien avec les schémas postmodernes du « nouveau mouvement social » ou des « nouvelles radicalités ». Elles étaient donc médiatiquement irrécupérables.

Je vais prendre un second exemple, qui me revient à l'esprit pour des raisons d'abord affectives. J'ai longtemps milité – durant mon adolescence, au sein du mouvement espérantiste – notamment dans la *Sennacieca Asocio Tutmonda* qui en représentait, depuis 1921, l'une des fractions d'extrême gauche les plus importantes (et dans laquelle, d'ailleurs, les anarchistes étaient très nombreux). Or, en dépit du fait évident que le mouvement espérantiste a toujours représenté une incarnation particulièrement exigeante du principe internationaliste (il faut faire l'effort d'apprendre et de pratiquer une nouvelle langue) on remarquera qu'à la notable exception de

Radio libertaire (ce n'est certainement pas un hasard) son degré de médiatisation, en France, est à peu près égal à zéro. Et cela alors même que les militants espérantistes s'y comptent par milliers et qu'ils ont su élaborer, depuis plus d'un siècle, une culture littéraire et politique particulièrement impressionnante. La raison de ce silence médiatique n'est pas très difficile à comprendre : la nature et les objectifs fondamentaux du mouvement espérantiste sont, en effet, incompatibles avec le rôle central que le *business English* (qui n'a évidemment rien à voir avec l'anglais de Dickens, de Chesterton ou d'Orwell) est destiné à jouer dans l'actuel processus libéral d'unification juridico-marchande du monde [1]. Le résultat, c'est qu'un congrès espérantiste qui réunit quelques milliers de personnes sera toujours moins couvert par la presse officielle (et encore moins visité par les stars du show-biz) que telle ou telle manifestation d'une organisation de cent membres, dont les objectifs politiques ambigus et les formes d'action *spectaculaires* s'intègrent sans difficulté dans les calculs et les

1. On sait que dans un nombre croissant de grandes entreprises françaises, les cadres supérieurs sont désormais invités à communiquer entre eux en anglais commercial, quand bien même seraient-ils tous originaires de Lille, de Brest ou de Marseille. C'est d'ailleurs la transposition loufoque de cette consigne dans son propre ministère qui a valu à l'inénarrable Christine Lagarde – de la part de ses collaborateurs immédiats – le judicieux surnom de Christine *The Guard*. Ce que Claude Allègre, alors en charge du Mammouth, résumait dans sa maxime célèbre : *l'anglais n'est pas une langue étrangère.*

attentes du « parti des médias et de l'argent », pour reprendre l'excellente formule du *Plan B*[1].

En résumé, toute organisation radicale consciente de ce que j'ai appelé la dimension anarchiste de la question politique devrait donc accorder une importance stratégique aux trois principes suivants : premièrement, le renouvellement systématique et

1. Le journalisme – à quelques honorables exceptions près – a cessé depuis longtemps d'être un métier (avec ses techniques et ses règles) pour devenir une simple manière de percevoir le monde (ou plus exactement d'adhérer à son cours supposé « naturel »). Il est donc inutile d'imaginer que les professionnels des médias mentiraient consciemment (sauf, bien sûr, dans le *domaine réservé* de l'économie où seuls des *spin doctors* sont autorisés à officier, éventuellement aidés par deux ou trois crétins sincères) ni même qu'ils devraient travailler à tout moment sous l'œil d'un quelconque *Big Brother*. À partir du moment où ils ont été essentiellement sélectionnés sur leur *profil* (le néojournaliste doit être « ouvert », « citoyen » et même capable d'une certaine autodérision), ils tendent en effet à dire et à faire *d'eux-mêmes* tout ce que le système attend d'eux. Quitte, parfois, à devancer les désirs de ce système, en encourageant audacieusement toutes les formes possibles de sa pseudo-contestation. De ce point de vue, et comme l'écrivait déjà D'Alembert, « on pourrait comparer les journalistes dont je parle à ces mercenaires subalternes établis pour lever les droits aux portes des grandes villes, qui visitent sévèrement le peuple, laissent passer avec respect les grands seigneurs, permettent la contrebande à leurs amis, la font très souvent eux-mêmes, et saisissent en revanche pour contrebande ce qui n'en est pas » (*Essai sur la société des gens de lettres*, Éditions Labor, 2006).

continuel de tous ses dirigeants ; deuxièmement, une politique de défiance *a priori* et permanente envers tous les micros et caméras qui se tendent spontanément vers elle ; troisièmement – et c'est probablement le principe le plus essentiel, dans la mesure où il concerne chacun de nous en tant qu'individu singulier – un souci constant de chaque militant de faire le point aussi bien sur son propre désir de pouvoir que sur son degré d'implication personnelle dans le mode de vie capitaliste (pour ne prendre qu'un exemple, on ne peut pas à la fois – comme le premier Bertrand Cantat venu – se prétendre « écologiste » et sillonner la France en 4 × 4 à seule fin de le faire savoir).

Or, sans vouloir être cruel, il faut bien constater que ces trois principes élémentaires ne jouent qu'un rôle très marginal dans la pratique réelle des organisations ou des associations qui prétendent œuvrer, de nos jours encore, pour un monde plus décent. Il est vrai que la mise en œuvre concrète de ces principes se heurte traditionnellement à de sérieux obstacles.

Le troisième suppose, par exemple, des capacités de remise en cause personnelle – à la fois morales et psychologiques – que l'univers militant n'a jamais particulièrement encouragées (des choses absolument essentielles avaient été dites à ce sujet, dès 1972, dans la célèbre brochure néosituationniste, *Le Militantisme, stade suprême de l'aliénation* [1]). Cela d'autant plus,

1. Cette brochure mythique et anonyme – publiée en 1972 au nom d'une mystérieuse « Organisation des jeunes travailleurs révolutionnaires » (organisation fantôme et elle-même épinglée dans le texte) – s'ouvrait sur une critique en règle de *tous* les

comme on le sait, que beaucoup de militants rêvent, avant tout, d'un monde où tous les êtres humains seraient enfin devenus « politiquement conscients », c'est-à-dire, en réalité, d'un monde où tous les êtres humains auraient été refaçonnés à leur belle image. Le problème c'est qu'on ne fait pas une révolution pour régler les problèmes d'ego de son avant-garde, mais d'abord pour répondre aux besoins réels des gens

---

groupes gauchistes qui s'étaient développés « à la suite du mouvement des occupations de Mai 68 », critique destinée à « préparer le terrain au mouvement révolutionnaire qui devra les liquider sous peine d'être liquidé par eux » (on remarquera ici, une fois de plus, que l'« esprit de Mai 68 » à l'époque, était beaucoup moins unifié que celui qui court toujours à la FNAC et dans les livres de Serge Audier). « La première tentation qui vient à l'esprit – poursuivait le texte – est de s'attaquer à leurs idéologies, d'en montrer l'archaïsme ou l'exotisme (de Lénine à Mao) et de mettre en lumière *le mépris des masses* qui se cache sous leur démagogie. Mais cela deviendrait fastidieux si l'on considère qu'il existe une multitude d'organisations et de tendances et qu'elles tiennent toutes à bien affirmer leur petite originalité idéologique. D'autre part cela revient à se placer sur leur terrain. Plus qu'à leurs idées il convient de s'en prendre à l'activité qu'ils déploient « au service de leurs idées » : le MILITANTISME. » Pour les auteurs de la brochure, il s'agissait donc, en un mot, de « *chercher derrière le mensonge la réalité du menteur pour comprendre la réalité du mensonge* ». Ce texte sulfureux (dénonçant, entre autres, l'omniprésence du masochisme, de la religiosité et de la volonté de puissance dans l'univers militant) – et qui est encore consultable sur quelques sites Internet – avait été reçu, à l'époque, comme un véritable coup de pied dans la fourmilière gauchiste. Inutile de préciser que les « leaders historiques » du mouvement s'arrangèrent assez vite pour organiser l'oubli définitif des questions qui venaient d'être ainsi soulevées.

ordinaires. En d'autres termes, et comme Orwell l'avait bien vu, on ne devrait jamais oublier que la politique est d'abord un *moyen privilégié* de défendre les *raisons non politiques que nous avons de vivre ensemble* [1].

Quant aux deux premiers principes, je ne suis pas sûr que ceux qui ont consacré l'essentiel de leurs efforts à accéder aux fonctions dirigeantes d'une organisation (ou, ce qui est, peut-être, encore plus suspect, à en devenir les porte-parole médiatiques attitrés), soient les plus qualifiés pour mettre ce genre de questions à l'ordre du jour (la morale politique a, elle aussi, son *principe de Peter*). De la même façon, d'ailleurs, qu'il serait profondément naïf d'attendre des « représentants du peuple » qu'ils décident d'eux-mêmes, un beau matin, que la politique ne doit plus être un métier réservé à une caste, et qu'en conséquence, aucun mandat politique ne sera plus renouvelable.

Pour être franc, je suis donc parfaitement incapable de vous prédire dans quelles conditions et sous quelles formes, les « gens ordinaires » pourraient un jour s'approprier collectivement le pouvoir que les différentes élites monopolisent depuis si longtemps. Ce dont je suis sûr, en revanche, c'est qu'un tel mouvement, *si mouvement il devait y avoir*, ne partira

---

1. Ce que Simon Leys formulait ainsi, dans son magnifique petit livre sur *Orwell ou l'Horreur de la politique* (Hermann, 1984, nouvelle éd. Plon, 2006) : « Dans l'ordre des priorités, il faudrait quand même que le frivole et l'éternel passent avant le politique ». Autrement dit, et pour paraphraser Clemenceau, *la politique est une chose beaucoup trop sérieuse pour la confier aux seuls militants*.

jamais d'en haut. L'histoire offre trop peu d'exemples d'une classe privilégiée renonçant d'elle-même à l'ensemble de ses privilèges. Et ce n'est certainement pas du désintéressement de nos riches ou de la probité de nos intellectuels que l'on peut raisonnablement attendre une nouvelle nuit du 4 août.

– *Ce sera le mot de la fin, Jean-Claude Michéa...*

– En espérant, bien sûr, que cette fin soit heureuse. À considérer tout ce que le libéralisme a déjà réussi à faire de la planète et de l'être humain, il existe, en effet, bien des raisons d'être pessimiste. Au point où nous en sommes arrivés, on ne peut même plus exclure un scénario du type « chute de l'empire romain » ; à ceci près qu'il aurait lieu, cette fois, à l'échelle de l'humanité et sur une planète entièrement dévastée. Mais d'un autre côté – et pour terminer sur une note moins sombre – on sait également que l'avenir des humains n'est écrit nulle part. L'Histoire est, depuis toujours, un théâtre étonnant où les rebondissements ne manquent jamais, et où les empires les plus puissants peuvent s'effondrer à une vitesse stupéfiante. Encore faut-il que les individus et les peuples commencent à se poser les vraies questions et donc à se définir selon les vrais clivages. Mais ceci, bien sûr, est précisément une autre histoire, dont nul ne possède d'avance les clés...

– *Merci, Jean-Claude Michéa.*

Notes

[A]

Un libéral s'interdit, par définition, de *juger* la manière dont les autres vivent : à ses yeux ce serait là s'immiscer dans leur vie privée (en langage « jeune », on appellera donc *cool* le principe même de toute attitude libérale). En compensation, un libéral doit veiller en permanence au bon fonctionnement des mécanismes du Droit et du Marché puisque c'est seulement sous cette condition que la paix civile et la liberté politique peuvent théoriquement être garanties. De ce point de vue, la maxime fondamentale du libéralisme a donc toujours été *vivre et laisser vivre* – le *laisser-faire* des économistes ne représentant rien d'autre qu'une application de cette maxime générale au cas particulier de la sphère marchande. On conçoit ainsi qu'une gauche (ou une extrême gauche) ralliée au libéralisme politique et culturel, éprouve inévitablement les plus grandes difficultés à comprendre l'idée socialiste – éradiquée sous l'ère mitterrandienne – selon laquelle il existerait bel et bien *des modes de vie spécifiques au capitalisme développé* (ceux qui correspondent, par exemple, aux comportements quotidiens de l'*homme unidimensionnel* ou de la *fashion victim*) ; modes de vie spécifiques dont il serait nécessaire, en toute logique, d'entreprendre la critique *radicale*. Une telle critique conduirait en effet à violer le tabou le plus sacré du libéralisme (« ne juge pas les autres, et tu ne seras pas jugé »). C'est pourquoi les seules véritables objections qu'une nouvelle gauche (ou qu'une « gauche de gauche ») puisse encore formuler à l'encontre de l'ordre établi, portent soit sur les *dysfonctionnements* du Marché (il devrait, par exemple, être « régulé » plus efficacement par l'État) soit sur les insuffisances du Droit (il faut traquer sans cesse tout ce qu'il comporte encore de « patriarcal » ou de « discriminatoire »). Quant aux critiques du *mode de vie* capitaliste effectif – qu'elles portent, par exemple, sur l'abrutissement médiatique, la propagande publicitaire, les jeux vidéo, la consommation des drogues, la « contre-culture » officielle, ou la façon dont on éduque les enfants – elles ne peuvent plus être interprétées, dans cette nouvelle logique, que comme une manifestation élitiste, ou nostalgique, de « *néo*-conservatisme » (concept fourre-tout, destiné à désigner *l'ennemi en général*, et dont aucun intellectuel de gauche ne semble encore s'être aperçu qu'il constituait un oxymore tout aussi privé de sens que « mode traditionnelle » ou « archaïsme moderne »). On trouvera un exemple particulièrement net de cette dérive libérale sous la plume de Patrice Bollon, dans un article consacré aux *otakus*, c'est-à-dire à ces jeunes Japonais de la *middle class* « qui passent leur vie devant l'écran de leur ordinateur et se passionnent pour des choses aussi futiles que les mangas ou les jeux de rôles vidéo ». Rendant compte de l'ouvrage qu'Hiroki Azuma a écrit sur le sujet, Bollon en arrive ainsi (c'est un habitué de la chose) à cette conclusion postmoderne impeccable : « Au fond, les *otakus* ont pris la mesure du monde contemporain, et ils en jouent. Ils ne se lamentent pas, comme certains de nos intellectuels [il vise ici Bernard Stiegler] sur la fameuse "perte des référents" ; ils s'y adaptent et tentent de donner malgré tout un "sens" à leur vie. Loin d'une révolte nihiliste, leur attitude est à la fois une analyse et un commentaire du monde qui les environne » (*Marianne*, 14 juin 2008). Pour une approche un peu moins naïve de la question, on relira l'essai magistral de Christopher Lasch, *Culture de masse ou Culture populaire ?*, trad. de l'anglais de Frédéric Joly, Climats, 2001.

[B]

Le concept de « société sans classes « (concept définitivement disparu de *tous* les programmes de la gauche moderne) ne désigne évidemment pas une société qui ignorerait les conflits ou les divisions. Il désigne d'abord une société dans laquelle personne ne pourrait plus disposer des moyens *pratiques et institutionnels* de s'enrichir aux dépens du grand nombre – c'est-à-dire, en d'autres termes, de *vivre du travail d'autrui* (« si l'on ne travaille pas soi-même – écrivait Marx au début de sa *Critique du programme de Gotha* – on vit du travail d'autrui, et on acquiert *jusqu'à sa culture* au prix du travail d'autrui »). Dans l'abandon progressif par la gauche de ce concept politique fondamental (sans lui, que reste-t-il, en effet, du projet socialiste ?), il faut bien reconnaître que Claude Lefort et ses disciples (en s'appuyant notamment sur une lecture de Machiavel qui – à mon sens – en surestime souvent les aspects déjà « modernes ») ont joué un rôle à la fois essentiel et ambigu. Partis d'une critique parfaitement légitime du projet totalitaire, comme volonté *affichée* de construire une société « une et transparente » (« je parle contre le mythe de la bonne société qui a précisément débouché sur le totalitarisme » déclarait Lefort en 1982), ces intellectuels en sont venus, en effet, à conclure que *la division* et le *conflit* constituaient la condition transcendantale de toute société humaine, et que la « démocratie » (entendue, à présent, comme le simple « pouvoir de n'importe qui » et comme le droit *illimité* à inventer continuellement de nouveaux droits) représentait le seul régime capable d'intégrer consciemment cette condition originaire. Le problème, c'est que cette mystique de la division originaire et du conflit irréductible ne se distingue plus très bien, à partir d'un certain moment, de l'idée libérale classique selon laquelle il serait *ontologiquement impossible* à toute communauté humaine de s'entendre sur le moindre principe idéologique commun. Pour les libéraux, en effet, la guerre économique et la guerre procédurale (autrement dit, la *lutte* parallèle et incessante pour de nouveaux marchés et pour de nouveaux droits) définissent – tout comme chez Lefort – une forme de conflictualité à jamais *indépassable* ; conflictualité dont le caractère « axiologiquement neutre » (ou purement « rationnel ») doit précisément permettre (tout comme chez Lefort) de tenir à distance la tentation totalitaire et les guerres de religion. De fait, ce n'est certainement pas par hasard si tant de « nouveaux radicaux » et d'idéologues « postmodernes » ont pu trouver dans ces analyses de Claude Lefort un point de départ particulièrement intelligent pour rompre définitivement avec le vieux « mythe » socialiste d'une société sans classes.

[C]

S'il y a un point sur lequel Orwell a toujours insisté, c'est sur la nécessité *politique* d'utiliser les mots (« racisme », « fascisme », « socialisme », etc.) dans leur sens exact. À l'inverse, on sait que, pour lui, tout pouvoir de classe tend à imposer un usage des mots qui en défigurent méthodiquement la signification originelle (le libéralisme devient ainsi la « démocratie », la démocratie devient le « populisme », le populisme devient le « fascisme », etc.). Rappelons donc que dans l'Allemagne nazie (qui représente assurément *le type idéal* de l'État policier raciste et antisémite) le problème des minorités persécutées n'étaient pas tant de réussir à y *entrer* par tous les moyens (auquel cas elles auraient été franchement stupides) que celui de pouvoir en *sortir* librement et sans dommage. La même remarque vaudrait naturellement pour les Africains amenés *de force* sur les plantations de l'Amérique esclavagiste. Et si la Résistance française avait, effectivement, ses propres *réseaux de passeurs*, c'était précisément pour aider ces minorités persécutées à franchir clandestinement – ou avec de faux papiers – la frontière suisse ou espagnole. Tel est donc le sens *premier* du mot « État raciste ». Ceux qui ont *délibérément* choisi d'en galvauder la signification (et de l'instrumentaliser) ont donc forcément *d'autres idées en tête* (peut-être même des idées libérales sur les bienfaits économiques d'une liberté de circulation intégrale de la force de travail planétaire).

Quant au positionnement politique d'un Nicolas Sarkozy, il ne présente aucun mystère particulier : c'est un politicien *libéral* – au sens où le sont également une Laurence Parisot, un Claude Bébéar ou un Jacques Attali. À ce titre, la seule question qui compte *réellement* à ses yeux (comme aux yeux de tout *actionnaire*) ce n'est évidemment pas celle de la couleur de peau de la main-d'œuvre mais bien celle de sa *rentabilité économique* (est-elle efficace ? est-elle flexible et disciplinée ? est-elle prête à travailler plus ? quel est son taux de syndicalisation ? quel est son coût de revient ?). En revanche, l'état de transe profonde dans lequel la *personnalité* même de Nicolas Sarkozy a visiblement le don de plonger beaucoup d'esprits de gauche – et même au-delà – apparaît beaucoup plus mystérieux (si on veut bien écarter momentanément la thèse, par ailleurs plausible, de l'antisémitisme inconscient). De ce point de vue, la seule véritable question philosophique (qui a forcément une dimension psychanalytique) devrait donc être : « De quoi *le nom de Sarkozy* est-il le nom ? » Il n'est pas étonnant, dans ces conditions, que le petit *best-seller* d'Alain Badiou nous en apprenne infiniment plus sur les fantasmes personnels de son auteur (ou sur ceux de son étonnant fan-club) que sur l'objet officiel de sa passion.

[D]

Les différences (réelles) qui existent – à l'intérieur de la philosophie libérale – entre une approche dite « néoclassique » et une approche dite « néolibérale » ne doivent pas masquer le fait qu'elles sont d'abord, et chacune à leur manière, des idéologies *interventionnistes*. Pour Walras, par exemple, le marché ne peut manifester ses vertus équilibrantes et autorégulatrices que si sont réunies un certain nombre de conditions *optimales* (comme par exemple la « concurrence parfaite »), absentes des marchés empiriques, toujours imparfaits. Cette idée – qui sera, entre autres, à la base des politiques keynésiennes – légitime donc la nécessité continuelle d'une intervention de l'État, destinée à permettre au marché *tel qu'il est* de fonctionner conformément aux lois du marché *tel qu'il devrait être*, selon les équations mathématiques de la « théorie de l'équilibre général ». C'est, d'ailleurs, cet appel à une intervention correctrice de l'État qui autorisait Walras à se prétendre « socialiste », ou Keynes à se penser comme un ennemi décidé du « laisser-faire ». Friedrich Hayek – et à sa suite Milton Friedman et ses Chicago boys – auront évidemment beau jeu de dénoncer dans cette référence à un marché platonicien (et mathématiquement modélisable) que l'on pourrait opposer à la réalité des marchés existants, l'exemple même d'une *idéologie* rationaliste et « constructiviste », de nature à engager l'État et la société sur la pente du « socialisme » voire du totalitarisme (les libéraux actuels adorent se présenter comme d'héroïques maquisards, luttant au péril de leur carrière, et peut-être même de leur liberté, contre un Léviathan bureaucratique ou "socialiste" plus omniprésent que jamais ; on sait qu'en France c'est là le fonds de commerce habituel d'un Pascal Salin, d'un Philippe Manière, ou d'un Jacques Marseille). Les « néolibéraux » militent donc pour une libéralisation intégrale des marchés *tels qu'ils sont* – toute intervention de l'État étant supposée contraire au laisser-faire originel d'Adam Smith et du « vrai » libéralisme. Le problème, c'est que cette solution suppose, là encore, que l'État intervienne, et de façon autrement plus active, puisque il ne s'agit plus alors d'imposer les seules conditions mathématiques de la concurrence parfaite, mais *l'ensemble* des conditions politiques, morales et culturelles du libre-échange intégral (c'est le sens des appels incessants à réformer de fond en comble la vieille société "bloquée"pour l'*adapter* enfin aux contraintes inéluctables d'un marché *sans frontières*). Et comme les classes populaires n'acceptent généralement qu'avec beaucoup de réticence ces transformations *forcées* de leurs façons de vivre (et l'insécurité constitutive qui en résulte), l'intervention « néolibérale » de l'État peut même aller – comme l'exemple chilien l'a prouvé – jusqu'à l'installation d'une *dictature libérale provisoire*, destinée à contraindre les humains récalcitrants à devenir enfin des consommateurs libres et rationnels. Quel que soit le cas de figure envisagé, la mise en œuvre concrète des dogmes du libéralisme apparaît donc toujours liée à une politique d'intervention active de l'État. C'est également la raison pour laquelle les invitations répétées de la gauche moderne à mettre en place une certaine « régulation » de l'économie de marché (cette dernière étant devenue incritiquable en tant que telle) ne permettent aucunement – quel que soit leur degré d'efficacité ponctuelle pour "relancer la croissance" – d'aider l'humanité à sortir de la cage d'acier libérale.

[E]

« Dans leur majorité, les migrants ne sont plus des ruraux analphabètes, comme lors des déplacements de masse des années 1960, mais des urbains scolarisés, qui ont pu accumuler un pécule. Autre tendance récente, nombre d'entre eux aspirent à circuler sans se sédentariser définitivement, avec une double nationalité ou des titres de séjour à entrées multiples. Plus les frontières leur sont ouvertes et moins ils s'installent. De nouveaux facteurs expliquent la forte hausse des migrations depuis une vingtaine d'années : la constitution d'un *imaginaire migratoire* (par le retour des migrants, par le biais de la télévision aussi), la connaissance accrue des filières d'entrée dans les pays d'accueil, la généralisation des passeports qui facilitent la sortie du pays d'origine, l'existence de solidarités transnationales, la baisse du coût des transports, les besoins en main-d'œuvre des pays du Nord » (Catherine Wihtol de Wenden, « Les Nouveaux Migrants », in *L'Histoire*, janvier-mars 2008). On pourra trouver une confirmation de cette analyse dans l'étude que Liane Mozère a consacrée au cas particulier des domestiques philippines à Paris (« Des domestiques philippines à Paris. Un marché mondial de la domesticité défini en termes de genre ? ») et publiée dans le *Journal des anthropologues* (n° 96-97, 2004).

Quel que soit, cependant, le pouvoir d'attraction que l'imaginaire libéral (et son culte de la marchandise) exerce directement sur les nouvelles classes moyennes du tiers-monde (ce que l'extrême gauche libérale appelle, pour sa part, *l'attrait d'une vie meilleure*) on ne saurait négliger pour autant le rôle important que jouent, dans la *construction* de ces nouveaux flux migratoires, les différents *réseaux* capitalistes illégaux (par exemple les « têtes de serpents » dans le cas de l'immigration asiatique) spécialisées dans l'acheminement de la main-d'œuvre clandestine en Europe. Ces réseaux – afin de rentabiliser au maximum leur *business* – n'hésitent plus, désormais, à organiser des « battues » dans les pays d'origine, destinées à convaincre leur « cheptel » potentiel (ce sont les termes techniques employés) d'émigrer au plus vite vers le paradis capitaliste occidental (*cf.* Serge Daniel, *Les Routes clandestines. L'Afrique des immigrés et des passeurs*, Hachette, 2008).

Quant à l'idée récemment avancée par Miguel Benasayag – dans l'espoir, sans doute, de conférer ainsi une légitimité philosophique minimale aux nouvelles formes capitalistes du déplacement de la force de travail – et selon laquelle l'acte migratoire serait inscrit, comme tel, dans la nature humaine (« l'homme migre »), il est clair qu'il s'agit d'une façon particulièrement réductrice d'assimiler des processus historiques, politiques et anthropologiques qui n'ont aucun point commun (on pourrait, bien sûr, en dire tout autant du concept de « nomadisme » – tel que l'utilise Jacques Attali – et dont, visiblement, Benasayag et les idéologues du Réseau Éducation Sans Frontières semblent s'inspirer massivement). La thèse selon laquelle il serait dans l'essence de l'homme de *migrer indéfiniment* possède, au fond, le même niveau d'abstraction métaphysique que celle d'Adam Smith affirmant qu'il y a chez l'être humain un « penchant naturel à trafiquer ». Il suffit, du reste, de combiner les deux thèses pour obtenir sur-le-champ la formulation la plus *parfaite* de l'axiomatique capitaliste (*cf.* Miguel Benasayag, Angélique del Rey, Réseau éducation sans frontières, *La Chasse aux enfants. L'effet-miroir de l'expulsion des sans-papiers*, La Découverte, 2008).

[F]

On connaît la description par Jacques Attali de cette magnifique « hyperclasse » promise à la domination du nouveau monde sans frontières : « Il ne possèderont ni entreprises, ni terres, ni charges. Riches d'un actif nomade, ils l'utiliseront de façon nomade, pour eux-mêmes, mobilisant promptement du capital et des compétences en des ensembles changeants, pour des finalités éphémères dans lesquelles l'État n'aura pas de rôle. Ils n'aspireront pas à diriger les affaires publiques (la célébrité politique sera pour eux une malédiction). Ils aimeront créer, jouir, bouger. Connectés, informés, en réseau, ils ne se préoccuperont pas de léguer fortune ou pouvoir à leurs rares enfants : seulement une éducation. Riches de surcroît, ils vivront luxueusement en nomades de luxe, souvent sans payer ce qu'ils consomment. Ils porteront le meilleur et le pire d'une société volatile, insouciante, égoïste et hédoniste, partagés entre le rêve et la violence. L'hyperclasse regroupera plusieurs dizaines de millions d'individus. Ils seront attachés à la liberté, aux droits des citoyens, à l'économie de marché, au libéralisme à l'esprit démocratique. Ils voteront, créeront des associations de consommateurs, cultiveront et développeront une conscience aiguë des enjeux planétaires ; à terme, ils s'intéresseront plus à la condition humaine qu'à l'avenir de leur propre progéniture » (*Dictionnaire du XXI*e *siècle*, Livre de poche, p. 175).

Ce flamboyant autoportrait trouve à l'évidence un certain nombre de ses racines dans l'imaginaire étudiant de "Mai 68" (il ne constitue, au fond, qu'une simple mise à jour des rêves déjà entretenus par Jérôme et Sylvie, dans *Les Choses* de Perec). Pour autant, et comme on l'a vu, il ne saurait épuiser à lui seul la complexité idéologique réelle de cette époque fondatrice. Pour preuve, et parmi bien d'autres exemples, ce texte rédigé de nos jours par des militants lozériens radicaux qui ont, de par leur propre histoire, beaucoup plus de titres qu'Attali à se réclamer de l'héritage *contradictoire* de « Mai 68 ». « On reproche généralement aux politiciens – écrit ainsi Jean-Pierre Courty – de ne pas réaliser leurs programmes et leurs promesses. Hélas, c'est l'inverse qu'il faudrait souhaiter, car à plus ou moins long terme, ils finissent par les réaliser. Georges Frêche fait concrétiser ses projets. Et vite. Enfin, en Languedoc-Roussillon, il lui manquait une conquête : la Lozère était la dernière trace de l'ancienne société rurale. Elle *faisait tache* dans le paysage industriel, technologique et urbain. Il paraît qu'il faut vivre avec son temps. Mais qu'en est-il de cette époque ? Il vaut mieux le savoir que l'ignorer : ce siècle sera celui de la sur-urbanisation totale (au sens de mercantilisation totale, d'informatisation totale, de déracinement total...). Les cités et les villes furent relativement vivables, humainement, historiquement, intellectuellement, tant qu'elles furent dépendantes des campagnes, de la nature qui les entouraient. La sur-urbanisation tend à concentrer les populations en les coupant radicalement de leurs bases arrière (alimentaires, biologiques, sociales, historiques, culturelles, spirituelles...). On peut appeler cela aussi *la mise hors-sol généralisée*. (...). Vous pensez bien que je n'ai pas de recette magique, et encore moins de programme précis, mais vous conviendrez qu'il faut impérativement chercher et explorer quelques pistes (...). Dans un premier temps : défendre avec détermination tout ce qui n'a pas été encore saccagé, défiguré, empoisonné, éradiqué. Envisager une sorte de reconquête (qui serait aussi une fantastique aventure) à partir du local, de sa géographie, de son histoire. L'avenir ce sont les villages et non les mégapoles, ni les villages-dortoirs. Reconquête dont l'inévitable corollaire passe par la *désurbanisation*, moins pour retrouver des villes (dont beaucoup furent belles et émancipatrices) et des campagnes que pour réoccuper des espaces et des écosystèmes délabrés. » Jean-Pierre Courty, « Correspondance à propos de l'entassement des pommes à Mende », *Mnémosyne*, mars 2008 (le titre est, évidemment, une allusion à la formule de Mirabeau père : « L'entassement des hommes, comme celui des pommes, produit la pourriture »).

Pour réussir à fondre le texte d'Attali et celui de Courty dans l'unité d'une sensibilité commune (et nier ainsi qu'on puisse critiquer l'un sans devoir aussitôt critiquer l'autre) il faut assurément tout le savoir universitaire d'un Luc Ferry (*La Pensée 68*, Gallimard, 1985) ou d'un Serge Audier (*La Pensée anti-68*, La Découverte, 2008).

[G]

Tod Gitlin, *The Whole World is Watching*, 1980. Commentant l'ouvrage de l'ancien dirigeant du SDS (Students for a democratic Society), Christopher Lasch écrit : « En espérant manipuler les médias à ses propres fins, le SDS finit par se trouver dans l'obligation de servir les intérêts des médias. Tod Gitlin a analysé en détail ce processus. Il démontre de quelle manière "les médias choisissaient en vue de les rendre célèbres" les dirigeants du mouvement qui correspondaient le plus fidèlement à ce que doit être un dirigeant d'opposition pour être conforme à ce que les clichés préfabriqués attendent de lui. » Il montre comment la propension à la confrontation dramatique et à la violence, qui est inhérente aux médias, commença à guider les choix tactiques et stratégiques du mouvement, encourageant le remplacement de la posture radicale par une posture militante, la multiplication de plus en plus rapide des actions théâtrales, ainsi qu'« une recherche automystificatrice de la révolution ». Il montre de quelle façon la recherche par les médias des porte-parole les plus « visibles » et les plus hystériques influença, non seulement les choix tactiques du mouvement, mais également sa structure, comme en témoigne la place accordée à des figures aussi célèbres que Mark Rudd, Jerry Rubin et Abbie Hoffman – figures de la contre-culture, qui n'avaient reçu de délégation de pouvoir de personne mais qui en vinrent à être considérés comme des porte-parole de la gauche. Ce n'est donc pas seulement dans la façon dont ils parlent de la gauche, mais dans leur manière de parler de la politique en général, que les médias de masse contribuent à substituer, pour reprendre les termes de Gitlin, « à une valeur fondée sur la valeur réelle de la personnalité, son *expérience*, son savoir et son aptitude » une forme nouvelle de pseudo-autorité s'appuyant sur la célébrité » (*Culture de masse ou culture populaire ?*, Climats, *op. cit.*, pp. 58-59). On pourrait s'étonner que le « nouveau mouvement social » ait pu reproduire aussi facilement – quarante ans après – les mêmes erreurs stratégiques. Si ce n'est, là encore, que la racine de l'« erreur » n'est pas uniquement intellectuelle. L'enquête minutieuse – et éprouvante – qu'Isabelle Saporta a menée, cinq années durant, à l'intérieur de certaines des organisations les plus représentatives de cette mouvance surmédiatisée (*cf. Un si joli petit monde*, La Table Ronde, 2006), laisse ainsi apparaître – sous le voile des proclamations les plus nobles et des indignations les plus convaincantes – une réalité psychologique et morale *quotidienne* infiniment plus *sordide* (et liée, dans la plupart des cas, à la vieille volonté de puissance et aux rivalités d'ego). On y trouvera, en somme, une nouvelle confirmation de la mise en garde de Rousseau : « Défiez-vous de ces cosmopolites qui vont chercher au loin dans leurs livres des devoirs qu'ils dédaignent d'accomplir autour d'eux. Tel philosophe aime les Tartares pour être dispensé d'aimer ses voisins. »

[H]

Du côté de la Ramade. 1993-2002 (éditions des Amis de la Ramade. Diffusion BP.6, 43380 Lavoûte-Chilhac) ; La *Lettre de la Ramade* continue d'ailleurs à paraître.

Notons, à ce sujet, que les médias français ont visiblement su porter l'art de la désinformation à son stade industriel. Pour ne prendre que deux exemples contemporains parmi des centaines d'autres, que sait-on *exactement* – aujourd'hui encore – des *causes réelles* de l'empoisonnement de masse qui « de la fin d'avril 1981 au début de l'année 2002, a fait plus de mille morts et frappé quelques dizaines de milliers d'autres victimes » en Espagne (*cf.* Jacques Philipponneau, *Relation de l'empoisonnement perpétré en Espagne et camouflé sous le nom de syndrome de l'huile toxique*, éditions de l'Encyclopédie des nuisances, 1994) ? La seule chose que plus personne, dans les sphères dirigeantes européennes, n'ose ouvertement contester, c'est que cet empoisonnement a été attribué de façon mensongère au « syndrome de l'huile toxique » afin – en masquant *délibérément* ses causes réelles – de ne pas compromettre l'entrée de l'Espagne dans la Communauté européenne.

Exemple tout aussi étonnant : que sait-on réellement, aujourd'hui encore, de l'insurrection algérienne du printemps 2001, pays qui est pourtant beaucoup moins éloigné de nous que l'Afghanistan ou le Kosovo ? « En France – écrit ainsi Jaime Semprun – l'insurrection algérienne a été plus ignorée qu'incomprise, et plus encore qu'ignorée, spontanément méprisée, *la fausse conscience ne voyant rien là d'intéressant, tout occupée qu'elle est à scruter les "phénomènes de société" qu'on met en scène à son intention*. Quant aux intellectuels, dont certains avaient la naïveté de croire qu'ils pourraient aider à faire connaître le mouvement à l'étranger, ils se sont bien gardés d'en dire quoi que ce soit. Sans parler des Glucksmann et des Bernard-Henri Lévy, zélés propagandistes de l'anti-islamisme des généraux algériens, on n'entendit pas beaucoup ce Bourdieu d'ordinaire si bavard sur les "mouvements sociaux", et qui a tout de même commencé sa carrière en prenant les Algériens, et les Kabyles en particulier, pour objet de sa science sociologique. Le fond de l'abjection fut atteint avec naturel par Sollers affirmant que toute "dignité humaine" n'était qu'illusion, puisque de toute façon personne n'allait se "mobiliser pour défendre la révolte kabyle" » (*cf.* Jaime Semprun, *Apologie pour l'insurrection algérienne*, éditions de l'Encyclopédie des nuisances, 2001, p. 59). Il est vrai que ces insurgés avaient eu le très mauvais goût de contester *sur place* un État réellement policier et de surcroît excellent partenaire économique du nôtre. Auraient-ils choisi d'*émigrer* et de tenter sous d'autres cieux la belle aventure capitaliste (« une vie meilleure ») que les médias et les « nouvelles radicalités » auraient, à coup sûr, trouvé le temps de parler enfin d'eux, et peut-être même de les placer au centre de l'un de nos « problèmes de société ».

[La Corée du Sud connaît, depuis le 1er mai 2008, une révolte *populaire* plus puissante et plus spectaculaire encore que celle qui avait renversé la dictature militaire lors du « Printemps de Séoul » en 1987. À l'heure où j'insère ces lignes – *soit près de trois mois après le déclenchement du mouvement* – le silence radio sur l'événement est toujours *total* dans les grands médias français (alors même que rien ne nous a été caché, *au même moment*, de la disparition d'une touriste en Corée du Nord). Et la KCTU (la Confédération coréenne des syndicats) attend toujours désespérément que nos organisations de gauche (et nos stars du show-biz) daignent enfin témoigner d'un minimum de solidarité avec le combat du peuple coréen (la KCTU doit encore naïvement confondre le « sans-frontiérisme » de la nouvelle gauche avec le vieil internationalisme prolétarien).

Sur ces événements de Corée – et sur leur importance politique fondamentale pour le mouvement anticapitaliste – on pourra lire, par exemple, le texte de Shin Yang Kim et Éric Bidet, *Chronique de la lutte citoyenne en Corée du Sud*, consultable sur le site de la *Revue du Mauss permanente*.]

Précisions

Les analyses présentées dans *L'Empire du moindre mal* ont parfois donné lieu – peut-être à cause de leur caractère elliptique – à un certain nombre de contresens et de malentendus. Si je devais retenir les trois plus gênants (du moins à mes propres yeux), je dirais qu'on m'a trop souvent attribué la paternité des thèses suivantes :

a) *Le libéralisme et la modernité ne font qu'un* (ma thèse était, en réalité, que le libéralisme constitue la forme la plus cohérente du projet moderne, mais non sa forme exclusive).

b) *Le libéralisme politique et le libéralisme économique sont dès l'origine identiques, comme le prouve abondamment le texte même des Pères fondateurs* (ma thèse était, en réalité, que le libéralisme apparaît historiquement comme une pensée double, dont la variante politique et la variante économique tendent en permanence à se développer de façon *parallèle* et *complémentaire* ; et qu'il s'agit moins de reconstituer ce que les Pères fondateurs « ont vraiment dit » que de mettre en évidence la *logique philosophique* contenue (aux deux sens du terme) dans la diversité de leurs propos.

c) *Les avancées du Droit libéral sont purement formelles et illusoires* (ma thèse était, en réalité, que l'émancipation individuelle accomplie par le Droit libéral représente un progrès politique incontestable, mais qui ne permet jamais, par lui-même, de dépasser l'organisation capitaliste de la vie, et donc de conduire les individus à une autonomie véritable.

Le lecteur trouvera donc – pour terminer – trois séries de précisions qui devraient permettre de clarifier un peu cette partie du débat.

Modernité et libéralisme

Dans son usage courant, le concept de « modernité » est marqué d'une ambiguïté fondamentale. Il s'applique, en effet, aussi bien au nouvel imaginaire politique et culturel né dans le cadre de la révolution galiléenne [1] qu'à l'ensemble des sociétés réellement existantes que cet imaginaire travaille à des degrés divers. Or si nous admettons que l'idéal d'un monde entièrement reconfiguré par la Raison et ses

1. Si le concept d'imaginaire, ainsi défini, renvoie d'abord à l'œuvre de Cornelius Castoriadis (*L'Institution imaginaire de la société*, Seuil, 1975), il convient également de souligner l'importance majeure des analyses de Karl Polanyi – et notamment de son concept de *market mentality* (*cf.*, entre autres, *La Mentalité de marché est obsolète* – texte de 1947 reproduit dans les *Essais* de Karl Polanyi, Seuil, 2008, p. 505). Sur l'œuvre de ce penseur fondamental – sans doute l'un des plus importants du XXe siècle – on lira donc avec intérêt la remarquable synthèse de Jérôme Maucourant (*Avez-vous lu Polanyi ?*, La Dispute, 2005), ainsi que deux ouvrages collectifs tout aussi indispensables : *La Modernité de Karl Polanyi* (L'Harmattan, 1998) et *Avec Karl Polanyi, contre la société du tout-marchand* (*Revue du Mauss*, n° 29, premier semestre 2007).

applications techniques (une société-machine) constitue une *utopie*, il est évident qu'il ne saurait exister aucune société *intégralement* moderne, c'est-à-dire aucune société entièrement adéquate à son programme philosophique initial. En d'autres termes, si les sociétés dites « modernes » peuvent encore *tenir*, c'est précisément dans la mesure où elles prennent toujours appui (consciemment ou non) sur des conditions anthropologiques et écologiques qui n'ont pas été modernisées. En ce sens, leur « modernité » est toujours relative.

Mais le concept de « modernité » – quand il est utilisé de façon aussi globale et indifférenciée – présente un autre inconvénient. Il invite, en effet, à dissoudre la spécificité historique des différentes civilisations « pré-modernes » dans l'unité d'une mythique « société traditionnelle » – supposée « close », étrangère à toute rationalité, hostile à la moindre innovation et, pour tout dire, foncièrement inhumaine. Il s'agit là, naturellement, d'un fantasme idéologique – élaboré en grande partie dans le cadre des idéologies évolutionnistes du XIXe siècle. En réalité, aucune société humaine (pas même celles qu'on nomme « primitives ») n'a ignoré la dimension du changement et de l'innovation (quels qu'en soient, par ailleurs, la nature, le rythme et les causes). C'est, avant tout, sur le sens et la valeur qu'elles accordaient à ces changements (et donc sur la manière de les assimiler) que la différence peut éventuellement être faite.

On obtiendra donc une définition déjà plus opérationnelle de la modernité si nous posons qu'une société, pour être considérée comme « moderne », doit satisfaire à deux conditions : d'une part, avoir une conscience suffisamment nette des transformations historiques qui tendent à l'opposer à son propre passé (que ces transformations soient politiques, techniques, culturelles ou autres) ; de l'autre, *valoriser* officiellement ces transformations, c'est-à-dire les percevoir et les vivre comme un « progrès » (même relatif) par rapport aux manières d'être attribuées aux « Anciens ». De ce point de vue, toute modernité est donc nécessairement « autoréflexive ». Une société moderne c'est d'abord une société qui a le sentiment d'être moderne [1].

---

1. « C'est du sentiment de rupture avec le passé que naît la conscience de modernité », écrit ainsi Jacques Le Goff (*Histoire et Mémoire*, Gallimard, 1988, p. 62). On trouvera une expression particulièrement nette de cette « conscience de modernité » dans les thèses que Platon attribue ironiquement à Hippias d'Elis (*Hippias majeur*, 283a) : « En vérité, Hippias, voilà une belle et grande preuve de ta sagesse, de celle des hommes de notre siècle, *et de leur supériorité à cet égard sur les Anciens*. Il faut convenir d'après ce que tu dis que l'ignorance de vos devanciers était extrême puisqu'on rapporte qu'il est arrivé à Anaxagore lui-même tout le contraire de ce qui vous arrive. Ses parents lui ayant laissé de grands biens il les négligea et les laissa périr entièrement tant sa sagesse était insensée. On raconte des anecdotes semblables sur d'autres sages anciens. Il me paraît donc que c'est là une marque bien claire de l'avantage que vous avez sur eux pour ce qui est de la sagesse. C'est aussi le sentiment commun qu'il faut que la sagesse serve principalement au sage lui-même ; et la fin d'une pareille sagesse est d'amasser le plus d'argent que l'on peut. » Un intérêt supplémentaire de ce texte est qu'il permet de distinguer la simple *logique*

Si nous nous en tenons à cette définition minimale, il faut alors reconnaître que l'humanité a connu de nombreuses « modernités » – ce qui, en soi, n'a évidemment rien de choquant. Il y aurait effectivement bien des raisons de ranger sous une telle catégorie historique la cité démocratique grecque (c'est ce que faisait d'ailleurs Castoriadis) ou la Chine des Song – tout comme de parler de la « Renaissance » du XIIe siècle, voire de la « Renaissance carolingienne ». Et lorsque Bernard de Chartres définissait les hommes de son temps comme « des nains juchés sur les épaules de géants », il reconnaissait, à sa façon, l'existence d'un certain progrès moral et intellectuel, ce qui pourrait suffire à faire de lui, en ce sens précis, un *esprit moderne* [1].

Il semble néanmoins indispensable de maintenir une différence irréductible entre ces « modernités secondaires » – qui constituent des parenthèses récurrentes dans l'histoire des sociétés – et le projet occidental moderne, forgé dans le contexte des guerres de religion. La radicalité de ce dernier n'a,

---

marchande (que Platon était déjà parfaitement en mesure d'observer et de juger) de la *logique libérale* qui ne pourra se former, quant à elle, que dans les conditions particulières du monde moderne.

1. De nos jours, un esprit moderne (disons un Jacques Attali ou un Claude Allègre) aurait plutôt tendance à considérer que nous sommes « des géants juchés sur les épaules de nains ». D'où, sans doute, l'équilibre de plus en plus instable de leur chère société capitaliste.

en effet, aucun précédent historique. Pour s'en assurer, il convient d'abord d'en rappeler la configuration fondamentale.

La clé de voûte du montage occidental moderne est l'idée qu'on pourrait mettre un terme définitif à la guerre civile *idéologique* (qui constitue probablement la forme la plus cruelle de la guerre de tous contre tous) en plaçant la vie collective des individus sous le contrôle d'un pouvoir (ou d'un ensemble de pouvoirs) *axiologiquement neutre*. La séparation de l'État et de la Religion apparaît naturellement comme la forme classique – et la plus difficile à assimiler pour un esprit traditionnel – de cette « neutralité axiologique » (et c'est la raison pour laquelle le problème « théologico-politique » était au cœur de tous les débats fondateurs du montage moderne). Mais elle ne représente, en réalité, qu'une forme particulière de la séparation plus générale entre l'État et la « société civile ». Un État intégralement moderne ne devrait pas seulement être « laïque » (ou « sécularisé »). Il doit être officiellement « a-moral » et sans idéologie (*wertfrei* – aurait dit Max Weber) [1].

---

1. C'est en ce sens que l'Humanisme de la Renaissance (et notamment ses formes « civiques » ou « républicaines ») doit être soigneusement distingué de la modernité *au sens strict* – telle qu'elle s'est construite, *à partir du XVIIe siècle*, autour de l'idéal galiléen. On remarquera d'ailleurs que les libéraux (pour lesquels le « doux commerce » dispense les hommes de toute vertu) ont toujours éprouvé la plus grande méfiance envers le rôle de *modèle politique* que les Républicains classiques (de Rousseau aux Jacobins) entendaient faire jouer à Rome, Athènes ou Sparte (le texte de Benjamin Constant sur la liberté comparée des Anciens et des

C'est la révolution galiléenne qui, en donnant corps à *l'idéal de la Science*, a permis de boucler philosophiquement ce programme audacieux. En légitimant le concept de « discours sans sujet » – autrement dit, en introduisant un nouveau type de *discours de vérité*, fondé sur la seule autorité des faits et, donc, officiellement indépendant de toute position religieuse, morale ou philosophique – la révolution galiléenne a, en effet, offert la plupart des outils symboliques et imaginaires qui rendaient intellectuellement plausible l'idée d'un traitement « scientifique » (ou rationnel, ou *more geometrico*) du problème théologico-politique.

Il y a un bénéfice secondaire immédiat : en définissant les conditions d'une maîtrise technologique – et bientôt industrielle – de la nature, la science

---

Modernes ayant évidemment ici valeur de symbole). Dans le cas particulier de l'appareil scolaire, on n'aura donc aucune difficulté à dater le moment historique précis où triomphe définitivement la réforme libérale. Il suffit de prendre comme critère de référence le statut accordé aux langues anciennes et aux « humanités » classiques – c'est-à-dire à ces disciplines qui constituaient l'ultime vestige institutionnel du moment républicain-révolutionnaire (ou « machiavellien » – si l'on adopte la terminologie de Pocock). On en profitera pour relever le rôle majeur joué par la métaphysique sociale de Bourdieu (ainsi que par les parents et les pédagogues de la nouvelle gauche) dans cette contre-révolution libérale déguisée depuis trente ans sous le voile d'une « démocratisation de l'École ». Si le terme de *logique libérale* a un sens, on peut même en déduire que les jours de *la classe de philosophie* (la fameuse terminale « L ») sont désormais comptés. Elle sera inévitablement absorbée, un jour ou l'autre, dans on ne sait quel « tronc commun », scientifique et « citoyen ».

galiléenne (ou newtonienne) a également rendu possible le projet de détourner l'énergie jusque-là consacrée à la guerre des hommes entre eux au profit exclusif d'une *guerre des hommes contre leur environnement* (guerre qui constitue la matrice de tout progrès matériel et de toute croissance) ; les bienfaits de la prospérité matérielle ainsi obtenue ne pouvant, en retour, que consolider la paix qui avait permis cette dernière [1].

D'un côté, un idéal d'harmonie sociale gagé sur la seule efficacité des « discours sans sujet » de la Raison scientifique et technicienne (la politique ne constituant plus elle-même qu'un savoir d'experts parmi d'autres) ; de l'autre, un programme complémentaire de domination illimitée de la nature : telle est donc la *configuration imaginaire minimale* requise pour lancer l'application occidentale moderne.

---

1. Si l'imaginaire productiviste et industriel (« se rendre comme maîtres et possesseurs de la nature ») est ainsi lié à l'essence même de la modernité, la *guerre de substitution* que l'homme moderne doit mener contre son environnement n'a donc rien, en tant que telle, de spécifiquement libérale (même si c'est dans l'axiomatique libérale qu'elle reçoit son statut philosophique le plus cohérent). C'est pourquoi on peut également la retrouver à l'œuvre dans toutes les formes de modernité non libérales (comme par exemple dans les différents totalitarismes du XXe siècle qui lui ont, du reste, conféré ses formes – provisoirement – les plus *délirantes*). C'est aussi la raison pour laquelle la critique du capitalisme n'épuise pas forcément l'ensemble des questions posées par les nuisances de la société industrielle. Sauf, naturellement, si cette critique est suffisamment *radicale* (autrement dit, si elle se montre capable de saisir le mal à sa racine et d'agir en conséquence).

Autrement dit, pour donner vie à l'idée (sans équivalent dans l'histoire des civilisations antérieures) d'une communauté humaine aussi pacifique que possible dont l'organisation ne prendrait plus le moindre appui sur une quelconque valeur « idéologique » – qu'elle soit religieuse, morale ou philosophique.

Si le libéralisme constitue l'*idéologie moderne par excellence*, ce n'est donc pas au sens où il y aurait *identité* entre le projet moderne et sa formalisation libérale. C'est au sens où cette formalisation libérale a permis de porter ce projet à son point de cohérence maximale. L'obsession principale des libéraux, en effet, a toujours été de découvrir des *systèmes de pilotage automatique* de la société (aussi bien « politique » que « civile ») qui rendraient définitivement inutile le gouvernement « idéologique » des hommes (c'est-à-dire toute prétention à les gouverner au nom d'une conception particulière du salut ou de la « vie bonne »). Dégagés de toute obligation morale ou religieuse, les individus n'auraient plus, dès lors, qu'à « jouir paisiblement de leur indépendance privée » (selon l'expression de Benjamin Constant), sagement abrités sous l'aile protectrice des « processus sans sujets ».

Or on sait que pour les libéraux, il existe deux systèmes (et seulement deux) capables de produire cet équilibre social automatique : l'État de Droit – fondé sur un système de *checks and balances* qui est supposé rendre l'abus de pouvoir impossible – et le Marché autorégulé, fondé sur le principe providentiel de la *main invisible.* À partir du moment où aucune intervention idéologique « extérieure » ne vient perturber le fonctionnement de ces deux systèmes de pilotage automatique (libre concurrence d'un côté, droit procédural de l'autre), *toutes* les conditions apparaissent donc réunies pour que l'ensemble des individus puissent vivre aussi librement que possible, dans la paix civile et la prospérité matérielle.

C'est donc bien le concept de « processus sans sujet » (ou de « structure », ou de « mécanisme autorégulé ») qui constitue le centre névralgique de toutes les constructions libérales – qu'elles soient à dominante économique, politique ou culturelle [1]. C'est lui, et lui seul, qui permet d'assurer la cohérence théorique d'un pilotage « axiologiquement neutre » (ou « technique », ou « rationnel ») de la société – en renvoyant *à la seule sphère privée* les éventuelles questions « idéologiques » sur la nature de la « vie bonne ». On comprend, du coup, qu'il puisse exister des philosophies politiques qui soient réellement modernes sans pour autant être libérales.

L'exemple le plus célèbre est, bien sûr, celui de Hobbes. Comme tous les modernes, il voit dans l'institution d'un pouvoir « axiologiquement neutre » (« *Auctoritas, non Veritas, facit legem* [2] ») l'unique

1. Dans le cas du libéralisme culturel, c'est « l'évolution naturelle des mœurs » qui constitue le processus sans sujet.

2. Traduction libre : la Loi politique (qui organise la vie commune) ne doit plus se fonder sur la prétention de certains à détenir la « vérité » (morale, religieuse ou philosophique). Elle tire, en réalité, son origine d'une pure décision

condition possible d'un montage politique pacificateur. Mais comme, d'autre part, il n'existe chez lui aucune théorie de *l'équilibre mécanique* des pouvoirs ou du marché autorégulé (même si, par ailleurs, sa philosophie est déjà strictement mécaniste) toutes les puissances productrices d'ordre se retrouvent donc concentrées entre les mains d'un Sujet absolu : l'individu (« ou l'assemblée ») censé incarner l'unité du *Léviathan*. De là le problème majeur de la politique hobbesienne (comme Rousseau ne manquera pas de le souligner) : qu'est-ce qui nous garantit, en effet, que ce Sujet suprême, *puisqu'il est encore un sujet*, agira bien conformément à la Raison, et ne *préférera* pas plutôt abuser de son pouvoir absolu [1] ? Rien, en vérité, puisqu'un sujet, par définition, n'est pas une machine.

En élaborant le concept de « processus sans sujet » (dont les premières théorisations doivent beaucoup, comme on le sait, à Port-Royal et à la théologie janséniste), on comprend donc que les libéraux aient

(autrement dit d'un acte d'« autorité ») qui ne doit être jugée que sur sa seule efficacité pratique (mettre fin à la guerre de tous contre tous).

1. Le problème serait identique chez Pascal. C'est pourquoi il doit en permanence exhorter les « Grands » à prendre conscience de leur condition réelle (un duc n'est pas par nature supérieur à un batelier) afin qu'ils cessent d'abuser des pouvoirs que le hasard leur a conférés. Toutefois, là encore, rien ne saurait garantir que les « Grands » ne préféreront pas – par folie ou vanité – « se damner sottement » et agir en tyrans. Ce n'est qu'avec son disciple Nicole que l'idée (à l'origine essentiellement théologique) d'un ordre social autorégulé commencera à s'introduire dans le champ politique.

pu nourrir l'illusion d'avoir enfin résolu toutes les contradictions de la politique moderne. Éliminer toute subjectivité, c'était, en effet, supprimer l'éternel point d'entrée métaphysique par lequel les causes de la guerre de religion auraient pu se réintroduire à tout moment dans la vie des hommes.

On comprend, par la même occasion, le rôle irremplaçable que les défenseurs de l'idéal cybernétique (après la Seconde Guerre mondiale), du paradigme structuraliste (après « Mai 68 ») ou du déconstructionnisme « postmoderne » (de nos jours) n'ont cessé de jouer dans le long processus idéologique de *légitimation du capitalisme moderne*. Leur naïve « philosophie du soupçon » en faisait, en vérité, des proies idéales pour tous ceux qui cherchaient *une caution de gauche* à l'idée libérale d'*une politique sans auteur* [1].

---

1. D'où, peut-être, un très curieux retour du refoulé. Si l'intellectuel de gauche *moderne* est celui qui est professionnellement voué à traquer toutes les traces de la vieille notion humaniste de « sujet » ou d'« auteur » (on sait que c'était le passe-temps préféré de Foucault et d'Althusser) ; s'il ne doit reconnaître à tous les phénomènes sociaux (de la délinquance à l'échec scolaire) que des causes structurelles, impersonnelles et anonymes, ne faut-il pas, à un moment donné, qu'un *nom propre* fasse retour afin de symboliser *à lui seul* tous les sujets en chair et en os que l'intellectuel de gauche a impitoyablement sacrifiés sur l'autel de la Structure ? D'où, à nouveau, la question inévitable : « De quoi *le nom de Sarkozy* est-il le nom ? ». Trouver la réponse, c'est probablement trouver *qui se cache réellement* sous l'intellectuel de gauche *moderne*. Vieille question nietzschéenne.

À PROPOS DU CONCEPT DE « LOGIQUE LIBÉRALE »

> « Nos Belinsky et nos Granovsky ne croiraient pas, si on leur disait, qu'ils sont les pères directs de Netchaïev et de ses disciples. C'est cette parenté, cette permanence de l'idée qui se développe en passant des pères aux fils que j'ai voulu exprimer dans mon œuvre. Je n'ai pas, et de loin, réussi, mais j'ai travaillé avec soin. »
>
> F. M. Dostoïevski, *Les Possédés*, Gallimard, coll. « Folio », 1979, tome I, p. 26.

Rassembler une multiplicité d'auteurs et d'œuvres sous une catégorie philosophique commune constitue toujours une opération complexe. D'abord, parce que la perception des différences précède généralement celle des points communs [1]. Ensuite, parce que *ce n'est qu'avec le temps* que les enjeux historiques

1. Ainsi du structuralisme. Ce qui unit idéologiquement des œuvres aussi diverses que celles d'Althusser, de Lévi-Strauss, de Foucault ou de Derrida ne saute pas immédiatement aux yeux. Et l'on sait que la définition de l'*épistémé* structuraliste a donné lieu à des polémiques sanglantes et innombrables.

liés à une nouvelle manière de penser, peuvent apparaître dans leur véritable clarté [1]. Là encore, comme Marx l'avait souligné, l'anatomie de l'homme est la clé de l'anatomie du singe ; et ce n'est qu'à la lumière des idées d'un Gary Becker ou d'un Milton Friedman que nous pouvons définitivement mesurer l'ensemble des potentialités philosophiques dont l'œuvre d'Adam Smith ou de Turgot était porteuse.

Il est donc clair qu'un concept comme celui de « logique libérale » ne pouvait être forgé qu'*après coup* – et qu'il relève beaucoup moins de l'histoire des idées philosophiques au sens strict (qu'est-ce que Benjamin Constant ou Tocqueville ont vraiment dit ?) que de l'étude des interactions concrètes entre ces idées et le mouvement historique réel. Ce n'est

1. La thèse de John Pocock, selon laquelle il est impossible de comprendre l'essence du libéralisme sans prendre en compte son débat constitutif avec la tradition républicaine, constitue, à coup sûr, l'un des apports les plus éclairants à l'histoire de la philosophie politique moderne. Pourtant, lorsqu'on lit le *Moment machiavélien*, on est surtout frappé par le fait que cette opposition n'avait pas toujours, à l'époque, la netteté que nous lui reconnaissons *après coup*. Dans la pratique, il y a peu d'auteurs qu'on pourrait définir comme de « purs » républicains ou de « purs » libéraux. Après tout, et dans un autre registre, il arrivera bien à John Stuart Mill (comme plus tard à Walras) de se réclamer parfois du « socialisme » (voire de défendre, dans son traité d'économie politique, la possibilité d'une économie « stationnaire »). Il faut donc toujours du temps, en philosophie, pour que les choses se décantent – et que les arêtes les plus vives d'un courant intellectuel puissent enfin apparaître dans leur vérité ultime.

qu'à ce titre qu'un tel concept peut se révéler théoriquement utile.

On aurait ainsi beaucoup de mal à saisir les raisons pour lesquelles « les problèmes se multiplient en nombre et s'accentuent en intensité au fur et à mesure que la société devient, *par son mouvement propre*, de plus en plus ouvertement illimitée [1] » si l'on n'avait pas déjà saisi, en amont, les conditions philosophiques d'un « processus qui ne saurait connaître de principe d'arrêt, ni dans le temps, ni dans l'espace, ni dans les objets, ni dans les personnes [2]. Or l'axiome libéral de « neutralité axiologique » – c'est-à-dire l'hypothèse selon laquelle il

---

1. Jean-Claude Milner, *Les Penchants criminels de l'Europe démocratique*, Verdier, 2003, p. 43.

2. Parlant de la « réaction en chaîne non maîtrisée » qui s'est déclenchée « à l'époque de la Renaissance » (le XVIIe siècle serait, selon moi, une meilleure date de départ pour cette *crise de la conscience européenne*), Jean-François Billeter écrit que « pour comprendre ce phénomène sans précédent, il faut saisir la logique de son développement et percevoir en même temps la forme particulière d'*inconscience* qu'il a engendrée et entretenue. Il s'agit d'une réaction en chaîne *non maîtrisée* parce que ses acteurs n'ont pas eu conscience, et ont aujourd'hui moins conscience que jamais, de son véritable mécanisme. Cette réaction en chaîne ne pourra être arrêtée que lorsque ce mécanisme aura été généralement reconnu » (*Chine trois fois muette*, Allia, 2000, p. 10). Sans souscrire entièrement aux formulations parfois mécanistes de l'auteur (le développement de la logique libérale implique une dimension consciente et délibérée) je trouve cependant dans ces lignes une excellente description de ce que j'entends par « logique philosophique ».

serait techniquement possible de définir les règles d'une vie commune pacifiée sans mobiliser une seule représentation subjective du « salut de l'âme » ou de la « vie bonne » [A] – répond exactement, selon moi, à ce type d'exigence structurale.

C'est bien lui, en effet, qui apparaît comme le principe d'unité *ultime* de tous les libéralismes effectivement existants – quelles que soient par ailleurs leurs évidentes différences secondaires. Si aucun individu ne peut se voir imposer par *qui que ce soit* (État, Église ou autres individus) la moindre définition positive de ce que serait un comportement décent ou conforme au bon sens – et tel est, en définitive, l'essence même de la liberté pour *tous* les libéraux – cela n'implique pas seulement l'adhésion préalable aux dogmes du relativisme culturel ou l'existence d'une théorie « postmoderne » de la déconstruction. Cela implique également que la liberté individuelle – puisqu'elle ne saurait être soumise à aucune valeur morale ou philosophique *commune* – ne peut rencontrer ses éventuelles limites que dans la liberté correspondante des autres individus (« la liberté des uns s'arrêtant où celle des autres commence »). Du point de vue libéral, par conséquent, seule la liberté est fondée à limiter la liberté.

C'est donc une seule et même chose d'affirmer que les notions de « vertu » et de « vie bonne » ne possèdent aucune signification universalisable, et de soutenir que la « liberté » – devenue ainsi l'unique marqueur symbolique de la condition humaine – n'appelle aucun engagement particulier et constitue par elle-même l'unique critère de son propre exercice (un point qui est évidemment au cœur de la philosophie sartrienne). « Neutralité axiologique » des règles de la vie publique et « liberté » (comme droit et pouvoir de définir *arbitrairement* ses propres valeurs individuelles) définissent par conséquent les deux visages d'une même réalité. D'où l'insistance des libéraux à soutenir que les mécanismes de la libre concurrence et du Droit procédural ne reposent sur aucun principe métaphysique particulier. Selon le dogme officiel, il faut y voir de simples dispositifs techniques, dont l'anonymat et la neutralité sont censés permettre de conjurer – ou de corriger en temps réel – les effets de cette rivalité mimétique des libertés égoïstes qui définit – dans le paradigme moderne – l'horizon indépassable de la *société civile*. Une fois ce postulat accepté, le problème des *limites*, indispensables à toute communauté humaine, peut alors recevoir une solution rationnelle, et cela sans qu'aucune atteinte soit portée – du moins théoriquement – à la liberté inaliénable des individus.

À l'origine aucun penseur libéral n'aurait donc songé à célébrer dans l'*illimitation absolue* l'aboutissement normal de ses axiomes politiques. Loin d'appeler au développement d'un monde *sans frontières* – intégralement déterritorialisé et dépourvu de tout « principe d'arrêt [1] » – les pionniers du libéralisme (aussi bien politique qu'économique) se

1. Décrivant l'essor de la nouvelle culture capitaliste, à la fin des années 1990, Thomas Franck souligne « qu'alors que le regard des entrepreneurs et des milieux d'affaires sur le monde (...) avaient autrefois été contrebalancés, ou du moins tempérés, par les visions alternatives proposées par les

vivaient, au contraire, comme des esprits réalistes et modérés. C'est même leur sens des limites et leur absence totale d'illusion sur la nature humaine qui étaient supposés mettre définitivement l'humanité à l'abri de l'*hubris* et de l'enthousiasme propre aux fanatismes idéologiques et religieux.

Comment comprendre, dans ces conditions, cette curieuse *dialectique descendante* de l'intelligence libérale qui la conduit en permanence, d'Adam Smith à Milton Friedman, de Mme de Staël à Laurence Parisot, ou de Benjamin Constant à Daniel Cohn-Bendit ? Il est évident qu'aucune réponse plausible

---

milieux universitaires et journalistiques, ils ne rencontraient plus désormais aucune opposition sérieuse. Cette impression d'assentiment universel s'illustrait au travers de l'engouement typique de la fin de la décennie pour les feuilletons et les spots publicitaires qui présentaient à l'écran un groupe de gens de toutes les couleurs et de toutes conditions transmettant un message d'espoir identique, que ce fût en entonnant *We are the champions* pour l'entreprise Agillion ou en s'émerveillant devant les attributs quasi divins de l'Internet pour Cisco. Le titre d'un fascicule de vulgarisation du management du milieu de la décennie reflétait parfaitement ce nouvel état d'esprit : *The Boundaryless Organisation* [l'Organisation sans frontières] » (*Le Marché de droit divin*, Agone, 2003, p. 41). Concernant cette phobie libérale de toutes les formes du sentiment d'appartenance, on rappellera d'ailleurs – après Derrida – que l'*Union des républiques socialistes soviétiques* a été le premier État au monde dont *rien*, dans la dénomination choisie par sa classe dominante, ne contenait plus la moindre allusion à une quelconque frontière *géographique* ou *nationale*.

ne saurait être apportée à cette question si on n'introduit pas ici le concept de « logique libérale » – c'est-à-dire l'idée d'un système de contraintes théoriques suffisamment cohérent pour induire de lui-même des effets destinés à s'étendre bien au-delà de l'intention initiale des Pères fondateurs [1].

De fait, comme chacun peut le vérifier, les premiers textes de la tradition libérale continuaient de prendre largement appui – à l'image de la colombe de Kant – sur tout un jeu de références éthiques (les fameux « gisements culturels » de Castoriadis) dont l'axiomatique qu'ils mettaient en place aurait pourtant dû discréditer immédiatement l'usage. Dans le contexte d'une civilisation encore largement « prémoderne », ces vertus traditionnelles étaient cependant dotées d'une évidence si massive que leur

1. Si l'idée de « logique libérale », apparaît « idéaliste » à de nombreux esprits, on remarquera que ces mêmes esprits ont rarement les mêmes scrupules théoriques quand il s'agit d'expliquer la *logique philosophique* qui a inexorablement conduit à installer des régimes de nature politique identique dans des pays aussi différents, au départ, que la Russie, la Tchécoslovaquie, la Mongolie, Cuba, les Pays Baltes ou la Corée du Nord. L'usage d'un tel concept suppose cependant qu'on rompe avec les dogmes du « matérialisme historique » au sens strict. En France, cette rupture doit évidemment beaucoup aux travaux de Castoriadis. Dans le monde arabe, on trouverait une démarche parallèle dans l'œuvre passionnante du penseur algérien Malek Bennabi (1905-1973), l'un des plus remarquables théoriciens de la « lutte idéologique » des peuples colonisés. On se reportera, par exemple, à son beau livre sur *Le Problème des idées dans le monde musulman* (Albourak, 2006). L'édition originale était parue au Caire, en 1960.

mobilisation philosophique récurrente demeurait invisible aux yeux des théoriciens libéraux eux-mêmes (à l'époque, seul le marquis de Sade avait eu la folie suffisante pour *imaginer* par avance *toutes* les implications d'un libéralisme entièrement développé – ce qui explique, au passage, qu'il soit si rapidement devenu l'un des auteurs culte de l'extrême gauche libérale française) [B].

Le problème, c'est qu'à partir du moment où les principes libéraux vont commencer à être pris au sérieux *dans leur intégralité* – c'est-à-dire à partir du moment où toute référence à ces valeurs morales ou philosophiques encore *tacitement* admises va se voir méthodiquement *bannie* de la réflexion économique et juridique (et c'est ici, bien sûr, que la gauche et l'extrême gauche libérales entrent en jeu) – la gestion « tocquevillienne » des conflits de la société civile va se révéler rapidement problématique – et le modèle de la *fuite en avant perpétuelle* apparaître comme l'unique mode de résolution possible des « problèmes de société » ainsi créés [C].

C'est précisément cette *radicalisation de gauche* du libéralisme (ou, plus exactement, le fait que le libéralisme ait fini par déployer historiquement toute la gamme de ses implications logiques) qui constitue l'une des origines majeures du présent *malaise dans la civilisation capitaliste*. La double logique du Marché autorégulé et du Droit procédural ne peut, en effet, s'accomplir de façon cohérente qu'en décomposant, une à une, *toutes* ces structures élémentaires de la solidarité traditionnelle (la famille, le village, le quartier, etc.) qui avaient, jusqu'ici, constitué la principale condition de possibilité anthropologique du sens commun et de la *moralité populaire* : autrement dit, de ce qu'Orwell appelait la *common decency*[1] et que les universitaires « postmodernes » préfèrent décrire, de nos jours, comme un ensemble de valeurs et d'attitudes "conservatrices" ou "réactionnaires", propres – selon eux – aux « petits blancs racistes » et aux *rednecks* (qui représentent, avec le paysan traditionnel, les éternels boucs émissaires de l'intelligentsia éclairée) [D].

C'est donc de façon tout à fait logique que la subordination progressive de la vie humaine aux mécaniques parallèles et complémentaires du Droit abstrait et du Marché autorégulé, finit par conduire (tant, du moins, qu'aucun mouvement politique ne vient contester cette double emprise *à partir d'une autre logique*) à éliminer l'un après l'autre tous les « principes d'arrêt » sur lesquels s'appuyaient encore

1. Dans son essai sur Dickens (écrit en 1939), Orwell soulignait que « l'homme de la rue vit toujours dans l'univers psychologique de Dickens, mais la plupart des intellectuels, pour ne pas dire tous, se sont ralliés à une forme de totalitarisme ou à une autre. D'un point de vue marxiste ou fasciste, la quasi-totalité des valeurs défendues par Dickens peuvent être assimilées à la « morale bourgeoise » et honnies à ce titre. Mais pour ce qui est des conceptions morales, il n'y a rien de plus « bourgeois » que la classe ouvrière anglaise » (*Essais, Articles, Lettres*, vol. 1, éditions Ivrea/L'Encyclopédie des nuisances, 1995, p. 573). Transmis aux libéraux éclairés de *Vacarme*, *Multitude* ou de la *Revue internationale des livres et des idées*.

(*bien qu'à leur insu*) les premiers libéraux [E]. On peut donc en déduire qu'il existe nécessairement un seuil historique à partir duquel la *logique libérale* aurait accumulé suffisamment d'autonomie (grâce, entre autres, au soutien de nouvelles catégories sociales professionnellement liées à l'encadrement technique, culturel et « humanitaire » du capitalisme de consommation) pour être en mesure de reproduire désormais *d'elle-même* les conditions matérielles, imaginaires et symboliques de sa propre expansion (sous réserve, là encore, que nul ne s'organise pour lui résister).

Une fois ce seuil historique atteint, la *commercial society* du débonnaire Adam Smith ou le sage équilibre institutionnel d'un Guizot sont alors réellement prêts à céder la place – sur fond d'*habitat vertical* et de technologies d'avant-garde – à ce *Stade Dubaï du capitalisme*, où « le télescopage des diverses et laborieuses étapes intermédiaires du développement économique a engendré une synthèse "parfaite" de consommation, de divertissement et d'urbanisme spectaculaire à une échelle absolument pharaonique [1] ». En termes hégéliens, on dira que le libéralisme a alors « rejoint son concept » et qu'il est devenu « pour-soi » ce qu'il était « en-soi ».

S'il fallait résumer les principes d'un usage fécond du concept de *logique philosophique*, je proposerais donc qu'on garde présentes à l'esprit les quelques

1. Mike Davis, *Le Stade Dubaï du capitalisme*, Les prairies ordinaires, 2007, p. 16.

distinctions suivantes dont je reconnais bien volontiers, par ailleurs, le caractère assez scolastique :

a) Les *intentions initiales* des Pères fondateurs d'une logique [F].

b) Les *axiomes* qui leur ont permis de configurer cette logique. Dans le cas du paradigme moderne, ce sont ceux – par exemple – qui contribuent à construire l'*idéal de la Science* ou à présenter la *neutralité axiologique des normes politiques* comme l'unique condition réaliste susceptible de mettre un terme aux guerres de religion. À l'intérieur de cette logique, le projet cartésien d'une domination totale de la nature constitue évidemment un *lemme* décisif – autrement dit une thèse annexe dont il est cependant impossible de se passer si l'on veut *déployer* le programme moderne de façon consistante. La logique libérale – *en tant que sous-ensemble de la logique moderne* – conduira alors à ajouter à ce premier édifice les axiomes dont l'absence ou l'oubli semblait porter atteinte à sa cohérence (le signe le plus net d'une telle « incohérence » étant généralement, pour les premiers libéraux, le système liberticide de Hobbes). En premier lieu, donc, l'idée du caractère *inaliénable* de la liberté individuelle, ainsi que l'affirmation selon laquelle il existe deux mécanismes axiologiquement neutres (et seulement deux) capables de garantir simultanément la liberté et la paix civile (plus la croissance et la prospérité – si l'on intègre le lemme cartésien). Ces deux mécanismes, comme on l'a vu, sont l'économie de marché et l'État de droit – double engrenage métaphysique dont la théorisation ingénieuse constitue par conséquent l'apport majeur du libéralisme à la philosophie moderne.

c) Les *propositions logiquement impliquées par l'axiomatique initiale*. C'est évidemment ici que commencent les problèmes et les querelles d'interprétation. Si nous cherchons, par exemple, quelle conception concrète de la famille – ou du rapport des êtres humains à leurs communautés d'appartenance – se trouve *logiquement impliquée* par l'axiomatique libérale, il suffit – pour en décrire les contours effectifs – de partir de cet impératif de *mobilisation générale des individus* (ou de *nomadisme* – au sens où l'entendent Attali et les différents idéologues du « mouvement migratoire naturel ») qui constitue la *clé fondamentale de tous les équilibres capitalistes* : du côté du Marché – parce que ce mouvement brownien des monades humaines apparaît comme la condition d'une adéquation optimale de l'offre à la demande ; et du côté du Droit procédural – parce que cette liberté intégrale de circuler et de s'installer à sa guise sur tous les sites du marché mondial (du tourisme de masse à l'exil fiscal en passant par les « délocalisations ») constitue l'un des droits les plus inaliénables de l'individu atomisé.

On en déduira donc que dans une logique libérale intégralement développée la *norme véritable* veut que la famille puisse être indéfiniment décomposée et recomposée au gré des lois dictées par le caprice individuel et le marché du travail (celui-ci pouvant *exiger*, par exemple, que conjoints et enfants vivent désormais dans des villes – voire des nations – différentes) ; et la norme veut également que chaque individu puisse désormais choisir sa communauté d'appartenance comme on choisit son opérateur téléphonique, c'est-à-dire après comparaison des forfaits proposés (choix « citoyen » qui, en toute logique, devrait donc pouvoir être résilié à tout moment et, dans l'idéal, sans préavis).

Naturellement, seuls les libéraux de gauche et d'extrême gauche possèdent déjà la structure psychologique et morale adaptée pour accueillir avec enthousiasme ce type de transformations culturelles, dans lesquelles ils voient généralement le modèle d'une vie enfin « libre et moderne » (à l'image, en somme, de celle des dirigeants des grandes firmes internationales, des *people* et des stars du show-biz, ou de ces néomandarins qui sillonnent tous les colloques universitaires du monde afin d'y communiquer des savoirs qu'ils n'ont plus le temps d'acquérir [1]). Il n'en reste pas moins que ces transformations culturelles radicales sont *structurellement*

1. Le très mobile Attali se vantait récemment à la télévision de ne vivre en France « que deux jours par mois ». Ce qui constituait à ses yeux le fondement pratique de sa sagesse supérieure. Sans vouloir être cruel, on devrait plutôt en déduire qu'il y a un lien direct entre le fait d'être ainsi contraint de vivre en permanence entre deux aéroports (avec, pour toute patrie, un ordinateur portable) et l'incapa-

liées à l'essence même du capitalisme développé. De ce point de vue, ce sont donc bien, comme toujours, les libéraux d'extrême gauche qui sont les plus conséquents – autrement dit, les plus *en phase* (psychologiquement et culturellement) avec la logique réelle du système capitaliste (et c'est pourquoi leur *doxa* « citoyenne » est devenue une composante fondamentale de la sensibilité journalistique dominante). Quant aux vieux libéraux qui prétendraient, malgré tout, vouloir défendre encore quelques « valeurs traditionnelles », ils sont tout bonnement *incohérents* (ou alors en campagne électorale permanente). Telle est bien, du reste, la contradiction fondamentale de ces êtres hybrides que les universitaires de gauche persistent à nommer – d'un terme privé de sens – les « néoconservateurs ». Il est vrai que ces politiciens inconséquents disposent d'une ultime issue de secours. Les *gated cities* (ou « villes fermées ») – qui se développent un peu partout dans le monde, et notamment en Chine et aux États-Unis – offrent, en effet, un abri intellectuellement satisfaisant à tous

---

cité corrélative à ressentir quoi que ce soit devant les souffrances ou les soucis quotidiens des classes populaires de *son pays d'origine*. C'est d'ailleurs ce qui explique que Nicolas Sarkozy ait immédiatement reconnu en Attali (comme avant lui Mitterrand) l'idéologue le mieux armé intellectuellement pour extraire de son cyber-cerveau libéral les trois cents « décisions » qui permettront enfin de « libérer » la Croissance et de « changer la France ». C'est évidemment ici l'occasion de rappeler la célèbre boutade de Chesterton : « L'univers du globe-trotter est infiniment plus restreint que celui du paysan ».

ceux qui célèbrent les vertus émancipatrices d'un système économique dont ils ne cessent simultanément de maudire l'ensemble des corollaires moraux et culturels. Derrière les murs de ces *gated cities* (mais un campus universitaire pourrait tout aussi bien garantir le même isolement) ils peuvent ainsi nourrir le sentiment d'être protégés contre les conséquences morales les plus terribles du système économique dont ils tressent, par ailleurs, des éloges continuels. Cette solution schizophrénique (et qui s'appuie, elle aussi, sur l'exercice de la *double pensée*) exige toutefois *beaucoup* de moyens et d'argent, et elle n'est donc pas universalisable sans contradiction. Il est par conséquent indispensable que les pauvres du monde entier l'acceptent sans murmurer, ce qui n'est évidemment pas garanti d'avance.

d) Les *effets concrets* que la logique libérale entraîne inéluctablement à partir du moment où elle est réellement appliquée. Comme chacun peut le constater, ces *effets* sont – en règle générale – très différents des *intentions initiales* des Pères fondateurs (comme c'est presque toujours le cas lorsque le programme mis en œuvre repose essentiellement sur des axiomes métaphysiques). Par exemple, le développement d'une « concurrence libre et non faussée » finit *toujours* par conduire à des situations de monopoles (comme l'enseigne la moindre partie de Monopoly). L'égalité purement abstraite des monades citoyennes finit *toujours* par accroître les inégalités réelles et renforcer ainsi la domination de classe. Le projet d'une maîtrise totale de la nature finit *toujours* par en dérégler les équilibres fondamentaux et compromettre ainsi l'avenir radieux promis par les grands prêtres de la Croissance. Quant à l'individualisme du consommateur moderne, il finit *toujours* par engendrer – particulièrement dans la jeunesse – les comportements les plus mimétiques et les plus grégaires qui soient [1].

Il serait donc particulièrement absurde, devant ces effets indéfiniment accumulés, de dénoncer la trahison *néolibérale* d'un « vrai » libéralisme et d'en appeler à un retour rédempteur à la pureté des principes

1. On trouvera un exemple particulièrement instructif de ce mimétisme moderne dans le brillant petit essai que René Girard a consacré à la femme anorexique « fière d'incarner ce qui constitue peut-être le dernier idéal commun à toute notre société : la minceur » (*Anorexie et Désir mimétique*, L'Herne, 2008). Dans son excellente préface, Mark Anspach nous rappelle qu'aux îles Fidji, où la télévision n'existait pas avant 1995 (et où les problèmes de poids n'avaient jamais tourmenté qui que ce soit) « *trois ans après l'arrivée du petit écran*, 74 % des lycéennes interrogées disaient se sentir "trop grosses" au moins une partie du temps et 69 % avaient déjà essayé un régime pour perdre du poids (...). Au cours des entretiens, les filles confirmaient que les personnages vus à la télévision étaient devenus des modèles pour elles, [notamment] les riches élèves californiennes de la série *Beverly Hills* ». Notons qu'en France, une critique de gauche des méfaits de la télévision se bornerait, la plupart du temps, à s'indigner du temps de parole alloué à l'UMP par rapport à celui du Parti « socialiste » ou à s'inquiéter de la couleur politique du PDG qui aura en charge l'organisation du mensonge généralisé. Quant à l'existence de la manipulation publicitaire, il existe même, désormais, une nouvelle race de militants de gauche prêts à monter sur les barricades afin d'en exiger le maintien

initiaux (un peu à la façon, en somme, dont les trotskistes dénonçaient rituellement dans le système de Staline une « perversion » de l'excellent léninisme). Le fait est qu'on récolte toujours ce que l'on a semé (du moins avant l'apparition de la culture expérimentale des OGM).

e) Les *contre-mouvements historiques* qui se constituent en réaction aux *effets concrets* de la logique libérale, et qui ne peuvent donc être entièrement compris qu'à la lumière des nuisances de cette logique. Cette catégorie inclut, bien entendu, le meilleur et le pire : d'un côté, la naissance du socialisme originel (comme critique simultanée de l'économie politique et du Droit moderne ou – ce qui revient au même – comme critique radicale et cohérente de la double pensée libérale) ; de l'autre, celle des différents totalitarismes du XXe siècle, ou de leur redoublement intégriste contemporain. Le rapport de *fascination* que ces deux dernières séries de contre-mouvements historiques entretiennent avec le projet occidental moderne (notamment avec son culte du progrès industriel) explique cependant, en grande partie, l'incohérence intellectuelle et la perversité morale de leur prétendue « critique » de la modernité occidentale. Sur ce point, l'étonnante facilité avec laquelle les anciens cadres des nomenklaturas staliniennes réussissent partout leur reconversion personnelle dans le monde impitoyable du libéralisme moderne,

---

sur les chaînes publiques (alors qu'il s'agirait plutôt de l'éliminer partout, y compris sur les chaînes privées).

devrait achever de rendre la vue aux derniers croyants (et, donc, aux lecteurs d'Alain Badiou, si un tel miracle était possible).

Il y aurait lieu, enfin, de s'interroger sur les *structures inconscientes* qui portent la logique moderne de l'illimitation et en favorisent la reproduction et le développement. Si l'on sait que les notions de « limite » et de « frontière » ont toujours constitué les ennemis héréditaires de l'*homme œdipien*, il est clair que les progrès historiques du capitalisme ont certainement quelque chose à voir avec le *meurtre du père* et la soumission parallèle à une *mère dévorante* (comme d'innombrables militants de l'extrême gauche libérale sont généralement bien placés pour le savoir – et donc, également, pour s'étrangler d'indignation dès qu'on ose le rappeler). Mais je n'aurais pas la cruauté d'insister sur ce point, tant il s'agit d'un champ de bataille où les écorchés vifs et les blessés de la vie moderne ne se comptent plus depuis longtemps[1].

---

1. Il serait, sans doute, intéressant d'étudier les effets de la politique de *l'enfant unique* (et du culte familial, notamment maternel, dont ce dernier est forcément l'objet) sur la psychologie collective du peuple chinois. La venue à maturité – dans les zones urbaines – de centaines de millions d'enfants uniques (il n'y a aucun précédent dans l'histoire de l'humanité) pourrait bien avoir un rapport précis avec l'affolement de tous les processus capitalistes que connaît à présent la Chine « populaire ».

Notes

[A]

Cette prétention positiviste est, bien entendu, parfaitement utopique. Dans son remarquable ouvrage sur *Le Libéralisme et les Limites de la justice* (traduction française, Seuil, 1999) Michael Sandel démontre, par exemple, qu'il est strictement impossible de statuer sur l'avortement, sans introduire aussitôt un minimum de postulats métaphysiques : pour le libéral politique – écrit-il – « les valeurs politiques de la tolérance et du droit à la citoyenneté égale pour les femmes constituent un fondement suffisant pour conclure que les femmes doivent être libres de choisir par elles-mêmes si elles veulent ou non avorter ; le gouvernement ne doit donc pas prendre parti dans la controverse religieuse sur la question du moment où commence la vie humaine. Mais si l'Église catholique est dans le vrai à propos du statut moral du fœtus, et si par conséquent l'avortement est l'équivalent moral d'un meurtre, on ne voit plus bien pourquoi les valeurs politiques de la tolérance et de l'égalité des sexes devraient l'emporter, même s'il s'agit de valeurs importantes. Si la doctrine catholique est vraie, la thèse du libéral politique affirmant la priorité des valeurs politiques va se transformer en un exemple de la théorie de la guerre juste ; il ou elle devra montrer pourquoi ces valeurs devraient prévaloir, même au prix de la mort d'un million et demi de citoyens par an » (pp. 286-287). L'idée « citoyenne » d'un État « axiologiquement neutre » doit donc être tenue pour définitivement naïve. En réalité, toute législation sur le droit à l'avortement suppose *inévitablement* que l'on « prenne parti dans la controverse religieuse [et philosophique] sur la question du moment où commence la vie humaine ». Les limites de la philosophie libérale sont celles de tout positivisme (et de tout relativisme).

[B]

Cet appui *tacite* sur des valeurs morales et philosophiques qui s'avèrent incompatibles avec l'idéologie que l'on prétend défendre par ailleurs n'est évidemment pas propre au seul libéralisme. Si l'on ouvre, par exemple, *L'État et la Révolution*, on remarquera une contradiction analogue sous la plume de Lénine. À la question de savoir, par exemple, comment il serait possible – sous le communisme réalisé – de réprimer « les inévitables excès individuels », alors même que tout « appareil spécial de répression » serait censé avoir disparu, Lénine répond en effet que « le peuple armé se chargera de cette besogne *aussi simplement, aussi facilement qu'une foule quelconque d'hommes civilisés, même dans la société actuelle, sépare des gens qui se battent ou ne permet pas qu'on rudoie une femme* ». Il n'est pas certain que l'usager actuel du RER soit vraiment convaincu par la pertinence de l'argument. Ce qui est certain, en revanche, c'est que Lénine (comme, avant lui, Adam Smith ou Benjamin Constant) ne pouvait pas *imaginer* que ces « règles élémentaires de la vie en société, rebattues durant des millénaires dans toutes les prescriptions morales » (*ibid.*, chap. V) se verraient, un jour, menacées dans leur principe même par la mise en œuvre de nouvelles logiques civilisationnelles (au premier rang desquelles, bien sûr, la logique léniniste elle-même).

L'apprentissage de la réciprocité et de la bienveillance – fondements de ces « règles élémentaires de la vie en société » – exige, en effet, tout un système de relations *en face à face*, à la fois stable et durable (puisqu'un tel apprentissage requiert nécessairement du temps) avec des êtres dont la présence nous a d'abord été *donnée* (nous n'avons pas *choisi*, par exemple, nos parents, nos frères et sœurs, ou nos voisins). Ce n'est que dans la mesure où nous aurons *appris* à nous accommoder de cette réalité incontournable, c'est-à-dire à accepter *tels qu'ils sont* (voire à apprécier ou aimer) ceux et celles avec qui il nous est *donné* de vivre, qu'il deviendra ensuite éventuellement *possible* de transposer à d'autres humains (et notamment aux inconnus et aux *étrangers*) les habitudes ainsi acquises de *common decency*. Sans cet apprentissage premier du don, de la fidélité et de la gratitude – et donc sans le cadre anthropologique initial qu'il suppose – nos affinités *électives* elles-mêmes (telles qu'elles se noueront librement dans le cours ultérieur de notre vie) se verront *presque* toujours soumises aux lois non dépassées de l'égoïsme infantile. Rousseau ne voulait rien dire d'autre lorsqu'il rappelait que nul ne peut *prétendre* « aimer les Tartares » (ou s'intéresser *réellement* aux sans-abri et aux immigrés clandestins) s'il n'est pas *d'abord* capable d'« aimer ses voisins », ses parents et ses proches. Autrement dit, ce n'est jamais *en sautant la case départ* qu'un être humain peut accéder à l'universel – théorème qui a l'avantage d'éclairer, au passage, *la face psychologique cachée* de bien des engagements officiellement « humanitaires », « associatifs » ou « citoyens » (il ne manque pas de Richard Durn, de Bertrand Cantat ou de militants de l'« Arche de Zoé » pour le confirmer).

Dans ces conditions, il suffit qu'une logique politique quelconque conduise à démanteler toutes les structures de la socialité primaire (de la vie de famille à la vie de quartier) – pour tarir à sa source la condition de possibilité la plus fondamentale de ces vertus élémentaires qui font que des individus décents devraient effectivement « séparer des gens qui se battent » ou interdire qu'« on rudoie une femme ». Il convient, naturellement, d'ajouter que si la socialité primaire est bien le cadre anthropologique le plus approprié à l'éclosion des vertus humaines de base, elle ne saurait, pour autant, garantir *à elle seule* que ces vertus apprises (quand elles l'ont été) seront effectivement *universalisées.* Condition nécessaire de la *common decency*, la socialité primaire n'en est pas une condition suffisante. C'est donc ici, *et seulement ici*, que la critique du « tribalisme » et du « repliement sur soi » doit trouver sa place. Mais ceci suppose que l'on ait d'abord compris qu'aucune conscience morale véritable ne pourra jamais surgir sur la ruine des enracinements particuliers (et en particulier sur la haine œdipienne). Elle en constitue, toujours, au contraire, un *développement dialectique* – développement dont le travail de *réappropriation individuelle* des valeurs communes représente un moment nécessaire et décisif (sans ce travail personnel du sujet sur lui-même – qui signe son accès à la *maturité* – nous n'aurions au mieux que de *bonnes habitudes*, et au pire ce sens purement mécanique de l'étiquette et des conventions qui a toujours constitué, chez les classes dominantes, le substitut privilégié de la *common decency*).

[C]

Bernard Shaw – qui incarnait sans doute la première grande figure de l'intellectuel de gauche *moderne* (l'humour en plus) – avait parfaitement compris l'essence de la philosophie du soupçon (ou de la déconstruction postmoderne) lorsqu'il écrivait que la forme supérieure de l'intelligence critique consistait à remplacer la vieille question réactionnaire « pourquoi ? » par celle – beaucoup plus progressiste – de « pourquoi pas ? ». Il y a évidemment ici le principe de toutes les dérives modernes et libérales, puisque la question « pourquoi pas ? » ouvre, par définition, un abîme infini. On en trouvera un exemple particulièrement abouti dans le numéro de mai 1992 de la *Bibliothèque des émeutes* où l'un des brillants représentants de cette nouvelle gauche extrême – désormais capable d'éprouver, devant la moindre *Twingo* en flamme dans le *neuf-trois*, les mêmes émois intimes qu'une collégienne devant *Tokyo Hotel* – en vient tranquillement à écrire que « *vol, viol, meurtre sont des délits d'opinion* » (p. 124). On comprend, du coup, pour quelles raisons l'*avocat* a fini par devenir, avec le temps, la figure la plus accomplie de la neutralité axiologique libérale (tout avocat cohérent – comme le montrent la plupart des séries policières américaines – est nécessairement un *avocat du diable*). Ce qui doit, en effet, compter pour lui – du moins s'il a accepté de renoncer à ses derniers scrupules pour devenir enfin un véritable esprit moderne – ce n'est évidemment plus la recherche de ce qui est vrai ou juste (ce sont là, à présent, des jugements de valeur arbitraires qui ne sauraient résister à la moindre déconstruction) mais la simple découverte de ce *vice de forme* qui permettra à son *client* de bénéficier d'un *non-lieu*.

[D]

Benjamin Constant étant le plus complexe (ou le plus contradictoire) des grands penseurs libéraux, on ne doit pas s'étonner de trouver régulièrement sous sa plume des propos incompatibles avec son axiomatique proclamée. C'est ainsi qu'il écrit, en 1813, qu'il est « assez remarquable que l'uniformité n'ait jamais rencontré plus de faveur que dans une révolution faite au nom des droits et de la liberté des hommes. L'esprit systématique s'est d'abord extasié sur la symétrie. L'amour du pouvoir a bientôt découvert quel avantage immense cette symétrie lui procurait. *Tandis que le patriotisme n'existe que par un vif attachement aux intérêts, aux mœurs, aux coutumes de localité*, nos soi-disant patriotes ont *déclaré la guerre à toutes ces choses*. Ils ont tari la source naturelle du patriotisme, et l'ont remplacée par une passion factice envers un être abstrait, une idée générale, dépouillée de tout ce qui frappe l'imagination et de tout ce qui parle à la mémoire. Pour bâtir l'édifice, ils commençaient par broyer et réduire en poudre les matériaux qu'ils devaient employer. Peu s'en est fallu qu'ils ne désignassent par des chiffres les cités et les provinces, comme ils désignaient par des chiffres les légions et les corps d'armée, tant ils semblaient craindre qu'une idée morale ne pût se rattacher à ce qu'ils instituaient (...). *Les intérêts et les souvenirs qui naissent des habitudes locales contiennent un germe de résistance, que l'autorité ne souffre qu'à regret, et qu'elle s'empresse de déraciner. Elle a meilleur marché des individus* » (*De l'esprit de conquête*, chap. XIII). Comme on peut le constater, un tel texte s'articule difficilement avec le principe de neutralité axiologique (que Constant défend par ailleurs) et, plus encore, avec l'antipatriotisme de principe des économistes libéraux. Quant à cette haine de ces « habitudes locales », qui représente l'une des conditions essentielles de l'uniformisation capitaliste du monde, Christopher Lasch observe à juste titre qu'elle est particulièrement répandue « chez les universitaires qui, montant dans l'échelle sociale, passent leur temps à se féliciter d'avoir échappé au traditionalisme étroit de leur village, de leur ghetto ethnique ou de leur banlieue intellectuellement moyenne. Leur refus de regarder en arrière ne vient pas de la peur du mal du pays, mais d'une indifférence absolue, alliée à une foi absurde dans le progrès. Cela dit, cet optimisme absolu et inconditionnel a tendance à s'éteindre. *Il requiert un tel manque de profondeur, tant émotionnelle qu'intellectuelle*, que la plupart des gens, *universitaires compris*, ont toutes les peines du monde à l'entretenir un tant soit peu » (*Le Moi assiégé*, Climats, 2008, p. 64). Concernant le cas (il est vrai très spécifique) des universitaires français, on pourra trouver la dernière remarque de Lasch légèrement optimiste.

[E]

La décomposition des solidarités locales traditionnelles ne menace pas seulement les bases anthropologiques de la résistance morale et culturelle au capitalisme. En sapant également les fondements relationnels de la *confiance* (tels qu'ils prennent habituellement leur source dans la triple obligation immémoriale de *donner, recevoir et rendre*) la logique libérale contribue tout autant à détruire *ses propres murs porteurs*, c'est-à-dire l'échange marchand et le contrat juridique. Dès qu'on se place sur le plan du simple calcul (et l'égoïste – ou l'économiste – n'en connaît pas d'autre) rien ne m'oblige plus, en effet, à tenir ma parole ou à respecter mes engagements (par exemple sur la qualité de la marchandise promise ou sur le fait que je ne me doperai pas), *si j'ai acquis la certitude que nul ne s'en apercevra.* À partir d'un certain seuil de désarticulation historique de l'« esprit du don » (matrice anthropologique de toute confiance réelle) c'est donc la défiance et le soupçon qui doivent logiquement prendre le relais. Dans ce nouveau cadre psychologique et culturel, le cynisme tend alors à devenir la stratégie humaine la plus rationnelle ; et « *pas vu, pas pris* » la maxime la plus sûre du libéralisme triomphant (comme le sport en administre, la preuve quotidienne à mesure qu'il se professionnalise et qu'il est médiatisé). Comme souvent, c'est le sympathique Yannick Noah qui a su formuler, avec sa rigueur philosophique habituelle, les nouveaux aspects de cette question morale. Son fils, Joakim, ayant récemment commis, selon les mots de Yannick lui-même, « une petite boulette » (alcool et drogue au volant d'un véhicule sans permis, avec, en prime, excès de vitesse) notre héros national a aussitôt tenu à lui rappeler publiquement que l'essentiel, en l'occurrence, aurait été « *de ne pas se faire pécho* » ; ajoutant, au passage, que « ça fait vingt ans que je fais le con et je suis encore populaire parce que les gens pensent que je suis un mec bien. Alors Joakim peut faire la même chose ». En hommage à cette belle leçon de pédagogie paternelle, je propose donc d'appeler *principe de Noah* la loi qui tend à gouverner une partie croissante des échanges économiques contemporains (on sait, par exemple, que la *contrefaçon* est effectivement devenue l'une des industries les plus florissantes du capitalisme moderne).

[F]

Lorsqu'on a affaire à un « libéralisme de gouvernement » il est évidemment indispensable de distinguer les *intentions réelles* d'un politicien libéral des intentions que la compétition électorale le contraint d'*afficher* publiquement. De ce point de vue, il fallait vraiment être un universitaire de gauche pour prendre au sérieux les imprécations d'un Nicolas Sarkozy contre « Mai 68 » (et peut-être aussi sa critique du divorce ou du plaisir immédiat ?) dans un discours où il vouait *simultanément* aux gémonies « le culte de l'argent roi, du profit à court terme, de la spéculation et des dérives du capitalisme financier ». Mais un pouvoir libéral est également tenu à des *compromis* beaucoup plus sérieux, s'il veut exercer un contrôle efficace sur ses bases électorales (d'autant qu'une grande partie des politiciens libéraux sont eux-mêmes des *élus de proximité*). Ici la simple rhétorique électorale ne saurait suffire à maintenir longtemps l'illusion. Par conséquent, de même que les organisateurs du Tour de France sont contraints, chaque année, de faire tomber quelques nouvelles têtes – généralement choisies au hasard – afin de donner l'illusion au grand public que le cyclisme est enfin redevenu un « sport propre » (alors même que tout le monde sait bien que le dopage constitue *la norme* dans tous les sports que le capitalisme a médiatisés), de même l'État libéral est régulièrement tenu de monter des « opérations coup de poing » *spectaculaires* – afin de donner l'illusion que la délinquance est incompatible avec la croissance du PIB – ou d'expulser sous l'œil des caméras *un clandestin sur dix* (ce sont, du moins, les chiffres qui circulent de nos jours dans les communautés asiatiques) – afin de donner aux classes populaires l'illusion que les entreprises libérales (et particulièrement celles du bâtiment et de la restauration) ne survivraient pas une minute à l'ouverture des frontières et à la libre circulation mondiale de la force de travail. De telles *mises en scène* peuvent naturellement être condamnées d'un strict point de vue *humanitaire* (le combat politique contre le système international de la prostitution, par exemple, n'exige en rien l'humiliation personnelle des prostitué(e)s. Mais, d'un point de vue politique, elles présentent surtout l'avantage de satisfaire simultanément les deux grands Partis du Capital : l'électeur de droite peut ainsi y voir la preuve que ses souffrances quotidiennes commencent à être prises en compte, tandis que l'électeur de gauche y trouvera la confirmation que nous vivons bien sous un État raciste et policier, dont Bertrand, Ségolène ou Olivier incarnent les nouveaux Mandela. Et c'est ainsi que le Système se perpétue.

La question des droits de l'homme

I

On connaît les critiques du jeune Marx à l'endroit de ce qu'il appellera, jusque dans ses ultimes travaux, « la vision juridique du monde » ou « l'idéologie juridique ». Les « droits de l'homme » – écrit-il ainsi dans *La Question juive* – sont essentiellement « les droits de l'homme égoïste, de l'homme séparé de l'homme et de la communauté ». Rappelant la définition « bourgeoise » de la liberté comme le « droit de faire tout ce qui ne nuit pas autrui », Marx précise qu'elle ne constitue rien d'autre que « la liberté de l'homme considéré comme *monade isolée* et repliée sur elle-même. « *Aucun* des prétendus droits de l'homme – conclut-il – ne dépasse donc l'homme égoïste, l'homme tel qu'il est, membre de la société civile, c'est-à-dire un individu séparé de la communauté, replié sur lui-même, uniquement préoccupé de son intérêt personnel et obéissant à son arbitraire privé » [A]. Naturellement, en développant cette critique du Droit libéral, Marx n'introduisait, sur le fond, aucune innovation essentielle. Il ne faisait que reprendre à son compte, et sous une terminologie hégélienne, l'analyse des premiers socialistes, dont la dénonciation des principes « abstraits » du Droit moderne constituait le complément logique de leur *critique de l'économie politique.*

Si, sur le fond, cette critique du Droit libéral me paraît toujours pertinente, on ne saurait oublier, en revanche, les sombres dérives auxquelles elle a donné lieu tout au long de l'histoire moderne. Dans la tradition blanquiste d'abord [1] puis, de manière beaucoup plus tragique, dans celle du léninisme – que Charles Rappoport considérait d'ailleurs (et non sans raison) comme un simple « blanquisme à la sauce tartare ». De fait, il pouvait être tentant de glisser de l'idée socialiste selon laquelle la prétendue « neutralité axiologique » du Droit libéral n'est qu'une illusion positiviste, à celle qui invitait à tenir les libertés individuelles garanties par ce Droit comme de simples formes mensongères dont le prolétariat

1. Considérant que les provinciaux étaient « la proie du clergé, du fonctionnarisme et des aristocraties », Blanqui exigeait ainsi que leur droit de vote soit supprimé pendant au moins « soixante-dix ans ». D'où son concept fondamental de « dictature parisienne » qu'il justifiait de la manière suivante : « Après tout, le gouvernement de Paris est le gouvernement du pays par le pays, donc le seul légitime. Paris n'est point une cité municipale cantonnée dans ses intérêts personnels, c'est une véritable représentation nationale » (*Le Communisme, avenir de la société*, Le passager clandestin, 2008, pp. 63-64). Il serait intéressant de relever les traces de cette tradition blanquiste dans l'univers des médias contemporains.

pourrait se passer sans dommage. Or une chose est de considérer que ces libertés sont « abstraites » (ce qui est peu discutable), une autre est d'en conclure qu'elles ne sont que des formes *vides* et irréelles (et il faut malheureusement reconnaître que le Marx de la *Question juive* était parfois ambigu sur ce point). Il aura donc fallu le terrible XXe siècle, et la monstrueuse expérience du totalitarisme, pour redonner enfin tout son sens à l'avertissement de Benjamin Constant : « Les formes sont les divinités tutélaires des associations humaines [1]. »

On ne reprochera donc pas à la nouvelle gauche – ni au « nouveau mouvement social » – d'avoir enfin redécouvert – vers la fin des années 1970 – l'importance des libertés individuelles et de leurs garanties juridiques ; ni d'avoir, par conséquent, contribué à rouvrir ce dossier des « droits de l'homme » que Marx (à la différence de la plupart des anarchistes et de nombreux représentants du socialisme originel) avait fermé de façon un peu trop cavalière. Le problème, c'est bien plutôt que cette axiomatique des « droits de l'homme » s'est trouvée

1. On a souvent relevé cette ironie de l'histoire : Evgeny Pasukanis, le philosophe marxiste qui avait développé avec le plus de rigueur la critique de la « vision juridique de l'histoire (jusqu'à réduire les institutions du Droit à une simple formalisation des rapports économiques) a été exécuté dans le cadre de ces purges staliniennes de 1937 dont l'*arbitraire juridique* absolu pouvait, en un certain sens, s'autoriser de ses propres analyses, développées – en 1924 – dans sa *Théorie générale du droit et le marxisme* (EDI, 1970, avec une introduction de Karl Korsch).

aussitôt réinstallée *sans la moindre critique philosophique préalable*[1] au centre de tous les dispositifs idéologiques de la nouvelle gauche – fin prête, dès lors, pour cette magnifique aventure « citoyenne » et « antiraciste » (la fameuse lutte « contre toutes les discriminations ») qui allait rapidement devenir l'axe officiel (et bientôt unique) de tous ses programmes, une fois les héritiers du congrès d'Épinay parvenus au pouvoir. Or en l'absence d'une telle critique philosophique, il est clair que ce n'était pas seulement la doctrine des « droits de l'homme » qui était ainsi remise au premier plan. Avec elle, en vérité, c'est *toute* la tradition du libéralisme politique qui allait se trouver également invitée aux noces de la nouvelle gauche et des « nouvelles radicalités ». Lorsque l'on sait que le libéralisme constitue par essence une *double pensée* – le Droit abstrait et le Marché libre ne pouvant résoudre leurs antinomies respectives qu'en prenant perpétuellement appui l'un sur l'autre [B] – on imagine donc quel loup économique venait d'être introduit dans la bergerie « socialiste ».

Si une telle évolution ne posait évidemment aucun problème de conscience à ceux qui – à l'image

1. Il serait, en effet, absurde de considérer que la critique des « nouveaux philosophes » répondait à cette exigence intellectuelle. En revanche, il est indéniable que ce puissant courant idéologico-médiatique a exercé une influence décisive sur la formation de la *nouvelle sensibilité* de gauche et d'extrême gauche. De SOS-Racisme à l'Arche de Zoé, nous avons bien affaire aux *enfants de Bernard-Henri Levy.*

d'un Jacques Delors ou d'un Michel Rocard – étaient convaincus depuis longtemps de la supériorité historique du système capitaliste, elle gênait considérablement, en revanche, la stratégie électorale mitterrandienne, dans la mesure où l'« antiracisme » et la lutte « contre toutes les discriminations » avaient été encouragés par l'Élysée – au milieu des années 1980 – précisément afin de *masquer* sous un *idéal de substitution* suffisamment plausible (au moins pour la jeunesse étudiante et les intellectuels parisiens) la réconciliation *pratique* de la nouvelle gauche avec l'économie de marché. C'est donc d'abord sur fond de ces considérations stratégiques et de ces manipulations politiciennes (dont on pourrait d'ailleurs trouver un équivalent dans la plupart des pays européens) que l'idée en est venue progressivement à s'imposer – à coups de subtils distinguos universitaires – qu'il existerait en réalité *deux* traditions libérales, dont l'esprit serait radicalement opposé. D'un côté, un libéralisme strictement économique (d'ailleurs rapidement identifié, pour les besoins de la cause, aux seuls « excès » du néolibéralisme reagano-thatchérien) et, de l'autre, un libéralisme politique et culturel, désormais présenté comme la source principale de toutes les avancées du genre humain [1]. Grâce à cette heureuse distinction, le clivage entre la droite et la gauche (dont le sens n'avait,

1. Parmi les travaux qui ont joué un rôle important dans ce processus de légitimation universitaire des nouvelles distinctions exigées par la stratégie mitterrandienne, on accordera une mention particulière à ceux de Francisco Vergara. Il est, du reste, significatif que cet idéologue ait rapidement

d'ailleurs, jamais cessé d'évoluer depuis 1789) pouvait donc recevoir *une nouvelle jeunesse* – dont toute référence à l'idée *socialiste* serait désormais soigneusement bannie.

Sur le papier, les choses semblaient donc s'arranger pour le mieux. Dès lors, en effet, que l'on tenait pour acquise l'idée (assez surréaliste) selon laquelle le véritable complément philosophique d'Adam Smith ne se trouvait pas chez Benjamin Constant ou Tocqueville, mais bien plutôt du côté de Bossuet et de Filmer (autrement dit, du côté d'un « néoconservatisme » articulé à l'intégrisme religieux), la lutte contre l'ensemble des idées et des préjugés traditionnels ou « patriarcaux » (au *premier rang* desquels

---

perçu dans la critique de l'utilitarisme inaugurée par les théoriciens du MAUSS l'un des obstacles philosophiques majeurs au développement d'une nouvelle gauche libérale. Soulignons également que cette campagne de réarmement idéologique exigeait simultanément que la démocratie (c'est-à-dire le gouvernement du Peuple, par le Peuple et pour le Peuple) soit désormais définitivement identifiée au seul régime représentatif. C'est naturellement dans ce contexte idéologique précis qu'il faut replacer l'incroyable campagne de désinformation menée par les « politologues » officiels (qui jouent, en France, un rôle assez voisin de celui des *spin doctors* en Grande-Bretagne) pour falsifier froidement, et sans le moindre scrupule moral, la signification politique originelle du mot « populisme » (qui définissait jusque-là – il devient épuisant de le rappeler – l'une des composantes majeures de la gauche anticapitaliste) ; campagne aussitôt relayée et amplifiée, cela va de soi, par la quasi-totalité d'un personnel médiatique dont la culture historique, on le sait, n'a jamais été le point fort).

figuraient désormais – comme Debord l'avait aussitôt relevé – « le racisme, l'antimodernisme et l'homophobie [1]») pouvait passer sans trop de difficultés pour un combat anticapitaliste dans son essence ; et le recentrage médiatique sur les questions dites « de société » masquer à la perfection – et sous des formes chatoyantes (concerts de rock, défilés festifs, multiples *téléthons*, etc.) – l'abandon définitif de la *question sociale*. Pour le plus grand malheur, naturellement, des ouvrières du textile, des travailleurs de la métallurgie, des employés soumis aux rythmes abrutissants de la nouvelle informatisation des tâches, des petits entrepreneurs ruinés par la concurrence mondiale ou des paysans acculés au désespoir

---

1. Guy Debord, *Correspondance*, vol. 7, Fayard, 2008, p. 407). On remarquera, au passage, que la « radicalité » de ces combats a parfois de curieuses limites. L'un des préjugés modernes les plus tenaces – celui dont les paysans sont traditionnellement victimes (les *ploucs*, les *péquenauds*, etc.) – ne mobilise, en effet, que très rarement l'ardeur compassionnelle des champions de la lutte médiatique contre « toutes les discriminations ». On sait, pourtant, à quel revers s'exposerait le pauvre bougre qui aurait la malheureuse idée de préciser d'entrée – sur *meetic.com.* ou tout autre « site de rencontre » – qu'il est *agriculteur* ou *paysan.* Et l'on sait également qu'en France, c'est justement en milieu rural que se rencontrent à présent les formes les plus terribles de la misère sociale et de la détresse humaine. S'il n'y a pas là une forme de « discrimination » et de « rejet d'autrui », alors cela signifie que l'extrême-gauche libérale (dont les indignations sont forcément sélectives et calculées puisqu'elles excluent *par principe* tout fondement moral) a définitivement réussi à changer le sens des mots. On attend donc, avec impatience, la prochaine *country-pride*.

– toutes catégories professionnelles dont la protestation pathétique était à présent couverte par la puissance de feu sonore des différents *technivals* ou de la *Love Parade*. Le temps des Jack Lang était arrivé.

Cette nouvelle grille de lecture – où la droite et la gauche trouvaient évidemment chacune leur compte (la première pouvant s'afficher mensongèrement comme l'ultime soutien des « valeurs traditionnelles », la seconde – à l'inverse – comme le parti de la jeunesse, de l'« ouverture à autrui » et de la vie sans tabous) présentait néanmoins un certain nombre de défauts logiques assez gênants – même pour un universitaire de gauche.

Quel sens pouvait-il y avoir, par exemple, à soutenir que le racisme et la xénophobie (ou n'importe quelle autre forme de discrimination) constituaient l'une des conditions *majeures* du bon fonctionnement de l'économie libérale ? D'un point de vue strictement capitaliste, il devrait être évident, au contraire, que *l'intérêt bien compris* d'une firme moderne doit *logiquement* la conduire à utiliser les services de *tout individu* dont la force de travail – ou les capacités de consommation – tendent à accroître la rentabilité de ses investissements ; et cela, naturellement, quels que soient l'orientation sexuelle, le genre ou la couleur de peau de cet individu. Dans la logique libérale, cette stratégie rationnelle a d'ailleurs un nom : c'est ce qu'on appelle le *diversity management* [C]. Et si d'aventure, un entrepreneur psychologiquement borné s'obstinait à pratiquer telle ou telle forme de discrimination à l'embauche (ou à la vente), cela signifierait tout simplement qu'il n'a pas *encore* entièrement intégré la logique capitaliste et que, dans un régime de « concurrence libre et non faussée », il aura, tôt ou tard, à en payer le prix (les entreprises du bâtiment qui emploient une main-d'œuvre clandestine, ont évidemment un chiffre d'affaires *réel* – et des opportunités d'action – infiniment supérieurs à celles qui respectent *bêtement* la loi). C'est bien pourquoi Milton Friedman (en plein accord – sur ce point, comme sur beaucoup d'autres – avec ses clones d'extrême gauche) militait activement pour l'abolition définitive de toutes les frontières que l'État opposait encore, ici ou là, à la circulation mondiale de la force de travail.

Mais il y a plus ennuyeux encore. Si le libéralisme économique et le libéralisme politique et culturel sont philosophiquement antinomiques, comment expliquer, en effet, qu'ils progressent, la plupart du temps, de façon *parallèle* ? Comment expliquer, en d'autres termes, qu'au fur et à mesure que la logique capitaliste s'empare de *toutes* les sphères de l'activité humaine et les soumet à ses lois d'airain, les mœurs soient supposées *s'affranchir* miraculeusement et la liste des libertés conquises par les individus ou les « minorités » s'allonger sans fin ?

Pour rendre compte d'un parallélisme aussi frappant, la *fausse conscience éclairée* (selon l'expression de Sloterdijk) a, naturellement, une réponse toute prête : si tant de nouveaux « droits de l'homme » ont ainsi été reconnus depuis quarante ans, c'est parce qu'ils auraient été *imposés* au Capital, au terme de luttes homériques et d'une ampleur sans précédent [D].

Or il faut bien dire que cette réponse n'est guère convaincante (si l'on veut bien mettre à part le mouvement féministe qui, sur un certain nombre de points précis – comme le droit à l'avortement – avait effectivement su livrer de *véritables combats politiques*). D'une part, parce que cette bienheureuse « évolution des mœurs » a pu s'observer dans *tous* les pays capitalistes développés, *qu'elle ait été précédée, ou non, de luttes politiques de masse* (le simple développement de la logique marchande suffit ici à expliquer que tous « les frissons sacrés de l'extase religieuse, de l'enthousiasme chevaleresque, de la sentimentalité petite-bourgeoise [aient été partout noyés] dans les eaux glacées du calcul égoïste [1] »). D'autre part – et surtout – parce que c'est précisément au moment où les puissances du Capital n'ont

1. Marx, *Manifeste communiste*. « Par le rapide perfectionnement des instruments de production et l'amélioration infinie des moyens de communication – ajoute Marx – la bourgeoisie entraîne *dans le courant de la civilisation* jusqu'aux nations les plus barbares. Le bon marché de ses produits est la grosse artillerie qui bat en brèche toutes les murailles de Chine et contraint à la capitulation les barbares les plus opiniâtrement hostiles aux étrangers. Sous peine de mort, elle force toutes les nations à adopter le mode bourgeois de production ; elle les force à introduire chez elles *la prétendue civilisation* [*die sogennante Zivilisation*], c'est-à-dire à devenir bourgeoises. En un mot, elle se façonne un monde à son image » (*ibid.*). On aura remarqué le double emploi contradictoire du mot « civilisation » à l'intérieur de la même phrase. De tout évidence, Marx était un esprit beaucoup moins simple que Toni Negri.

jamais été aussi fortes et concentrées (sinon comment auraient-elles réussi à imposer la mondialisation et le démantèlement de la plupart des anciennes protections sociales ?) que la lutte pour le « droit des minorités » et contre « toutes les discriminations » a commencé à engranger ses succès les plus voyants[1].

Pour maintenir une cohérence idéologique minimale, les théoriciens de la nouvelle gauche se retrouvent donc contraints à des acrobaties intellectuelles épuisantes. Il leur faut bien reconnaître, par exemple, que c'est précisément le déclin régulier des forces syndicales et de la combativité enseignante[2]

---

1. Dans une interview au quotidien d'Édouard de Rothschild (*Libération*, 10 février 2007) l'inimitable Éric Fassin s'extasie devant l'enthousiasme dont les maigres troupes du « Réseau éducation sans frontières » sont devenues l'objet, *et en un temps record*, de la part des médias officiels (et donc également des stars du show-biz) : « Dans un contexte de *dérive droitière* – écrit-il –, qui aurait *imaginé* le succès de RESF ? » Soit. Admettons que notre brillant universitaire n'ait pas beaucoup d'imagination (il lui en avait fallu, pourtant, pour avancer son célébrissime « on ne naît pas noir, on le devient »). Mais dans ce cas précis, c'est tout de même inquiétant : il suffisait, en effet, à Éric Fassin de savoir lier logiquement ses deux affirmations : c'est précisément parce que le libéralisme économique est devenu tout puissant que le réseau est aussi médiatisé.

2. Le monde enseignant – autrefois fer de lance de tous les combats républicains ou socialistes – est la *seule* catégorie sociale populaire qui ait massivement voté en faveur du projet de constitution libérale lors du dernier référendum (56 % de « oui »). Comme on le voit, la mise en place – au début des années 1990 – des nouveaux *Instituts universitaires de formation des maîtres* s'est donc révélée également rentable sur le strict plan politique.

qui a rendu possible, tout au long des dernières décennies, la subordination croissante de l'école aux impératifs de l'économie capitaliste (et la remise en cause corrélative du statut matériel des enseignants). Mais ce sera, curieusement, pour ajouter aussitôt que le niveau de culture et d'intelligence critique des élèves n'a, *parallèlement*, jamais cessé de s'élever ; toute critique de ce dogme fondamental ne pouvant renvoyer, en effet, qu'à une idéalisation nostalgique du passé, à une sensibilité élitiste et « néoconservatrice », voire à une forme perverse de « racisme antijeune ». Ce *double bind* réduit alors considérablement la marge de manœuvre intellectuelle des différentes organisations de gauche. D'un côté, elles doivent continuellement exhorter les enseignants à s'opposer aux réformes libérales qui défigurent l'école depuis plus de vingt ans (ce qui signifie généralement que ces derniers auront à cœur de participer – chaque année – aux quelques journées de grève rituellement prévues à cet effet). Mais, de l'autre, elles doivent également inviter parents et enseignants à se féliciter en permanence des effets pédagogiques toujours plus admirables de ces réformes – puisqu'il est désormais *sociologiquement prouvé* (théorème de Baudelot-Establet) qu'avec une quantité toujours moindre de moyens matériels à leur disposition, devant un public de plus en plus rétif et « difficile », et avec une reconnaissance sociale (et une estime de soi) en chute libre, les enseignants ne cessent d'obtenir aux examens des résultats en progression constante (et parfois même des scores dignes d'une élection soviétique)[1]. L'enseignant de gauche qui voudrait faire tenir ensemble toutes ces affirmations contradictoires est donc, une fois de plus, condamné à la *double pensée*.

On comprend beaucoup mieux, dans ces conditions, les débats qui agitent de nos jours la gauche post-mitterrandienne. Il doit *inéluctablement* arriver un moment, en effet, où la somme des efforts nécessaires pour maintenir un semblant de cohérence politique (ou, en termes platoniciens, pour *sauver les apparences* en multipliant les épicycles) finit par être telle, que la solution la plus *économique* – d'un point de vue intellectuel – est tout bonnement de laisser tomber l'ancien « logiciel ». Autrement dit, d'opérer un *Bad Godesberg* en bonne et due forme – en renonçant une fois pour toutes au vieux projet socialiste et à la défense politique de ces classes socialement encombrantes qui en étaient le soutien traditionnel.

Dans le nouveau logiciel proposé (froideur du métal, transparence du verre, formes géométriques) être de gauche (ou *être moderne* – car les deux mots sont à présent définitivement synonymes) signifiera

1. Dernier en date de ces travaux de la sociologie d'État : Éric Maurin, *La Nouvelle Question scolaire. Les bénéfices de la démocratisation*, Seuil, 2007. Notons que l'auteur est membre du « conseil scientifique » de *À gauche en Europe*, association fondée par Michel Rocard et Dominique Strauss-Kahn. On y voit déjà plus clair.

donc essentiellement que l'on défend à la fois l'économie de marché – puisque, de toute façon, il n'y en a pas d'autres – et l'évolution des mœurs – puisqu'elle est inéluctable. Plus, peut-être, une vague *régulation* de ces deux évolutions parallèles et complémentaires, afin de justifier la présence de la gauche au pouvoir, chaque fois que reviendra son tour de l'exercer.

Les nombreux partisans du nouveau logiciel font d'ailleurs valoir qu'il présente un avantage immédiat : en assumant intégralement la cohérence dialectique de son libéralisme (c'est-à-dire, pour reprendre la célèbre injonction d'Édouard Bernstein, *en osant paraître ce qu'elle est*) la nouvelle gauche se trouverait aussitôt déchargée de tous ces efforts psychologiques et intellectuels superflus qui tiennent à sa pratique de la *double pensée.* Tous ses programmes – économiques, politiques et culturels – pourraient, en effet, tourner enfin dans le même sens – *et cette fois-ci de manière officielle.* Il n'est, du reste, que d'observer les nouveaux adeptes de cette sagesse moderne et minimale : lisses, très propres sur eux, la voix posée et réfléchie, et ce regard affadi où ne brille plus que l'ambition personnelle. Comme si, au fond, le socialisme et l'anarchisme n'avaient jamais existé [1].

---

1. Il y aurait bien la solution de l'actuelle extrême gauche *libérale* : ce serait de maintenir jusqu'au bout le *déni de réalité*, et de continuer à se vivre comme des opposants radicaux à l'ordre établi, alors même que la plupart des luttes que l'on cherche à médiatiser s'inscrivent à la perfection dans la logique de cet ordre (tel était d'ailleurs, on s'en souvient, le cas de la mystérieuse « Fraternité » à laquelle Win-

II

Une fois qu'on a enfin saisi le lien philosophique qui unissait de l'intérieur le processus d'inflation continue des « droits de l'homme » et les progrès de l'économie libérale, devons-nous alors – selon la meilleure tradition léniniste – dénoncer et combattre dans *le principe même de ces droits* une manifestation avérée d'« individualisme bourgeois » et de « décadence capitaliste » ? Faut-il, en d'autres termes, définir à présent les contours d'une *charia socialiste* qui conduirait à lapider la femme adultère (et sans « moratoire » – n'en déplaise au camarade Tariq Ramadan et à ses amis du Mrap), ou à décapiter au sabre ceux (ou celles) qui se seraient rendus « coupables » d'un amour homosexuel ?

Comme on s'en doute, les choses sont ici un peu plus compliquées. Certes, si l'émancipation *réelle* des êtres humains signifie d'abord leur accès à une véritable *autonomie* individuelle et collective, il est clair que le fait purement historique de disposer des « droits de l'homme » n'implique, en tant que tel, aucun progrès moral ou intellectuel particulier.

---

ston et Julia finissent par adhérer dans *1984*). Un tel aveuglement volontaire a cependant un prix. Comme René Girard l'a établi, plus le sujet est sur le point de prendre conscience de ce qui l'apparente au rival haï, plus il lui faut nier cette *insupportable vérité* par une « surenchère mimétique » illimitée. Le *délire idéologique* (individuel ou collectif) devient alors la porte de sortie la plus vraisemblable. C'est un point sur lequel Dostoïevski – qui connaissait bien l'affaire *Netchaïev* – a déjà dit l'essentiel.

L'*autonomisation* effective des sujets (c'est-à-dire le fait de les rendre individuellement et collectivement aptes à agir et à penser par eux-mêmes) exige des conditions politiques, sociales et culturelles qui ne sauraient se réduire à leur simple *atomisation individuelle* (c'est-à-dire au fait d'avoir été transformés par le Droit – et le Marché – en « monades isolées »).

Sous ce rapport, l'analyse de Marx n'a rien perdu de son actualité. Sur un plan strictement philosophique, il demeure exact que les « droits de l'homme » – tels qu'ils ont été formulés historiquement – sont, avant tout, ceux de l'homme « séparé de l'homme et de la communauté ». À ce titre, ils représentent, *pour l'essentiel*, une formalisation juridique de *l'individualisme libéral* (c'est-à-dire, en fin de compte, de l'idée selon laquelle chacun est le seul juge de la façon dont il doit persévérer dans son égoïsme – quitte à *s'associer* provisoirement avec d'autres égoïstes pour défendre leurs intérêts communs) [1]. C'est pourquoi les *effets de liberté* que ces droits autorisent ne conduisent jamais *par eux-mêmes* au-delà d'une politique *libérale* au sens strict (d'une dictature qui commence à reconnaître un certain nombre de ces droits,

---

1. De ce point de vue, Marcel Gauchet avait raison de soutenir contre Claude Lefort que « les droits de l'homme ne sont pas une politique » (*Le Débat*, juillet-août 1980. L'article a été repris dans *La Démocratie contre elle-même*, Gallimard, 2002). On sait, du reste, que les analyses de Claude Lefort ont logiquement joué un rôle décisif (sans qu'il l'ait toujours souhaité) dans le ralliement de nombreux intellectuels à la nouvelle gauche et au libéralisme des « nouvelles radicalités ».

on dit d'ailleurs, à juste titre, qu'elle se *libéralise*). Ils offrent, bien sûr, à tout individu la possibilité de se soustraire à la pression communautaire et au poids des traditions. Mais la reconnaissance de cette indépendance juridique (ou cette « atomisation ») n'implique en rien que l'individu ainsi « libéré » ait accédé du même coup à cette véritable autonomie personnelle qui demeure l'horizon ultime du projet d'émancipation socialiste. Si l'indépendance peut être octroyée, l'autonomie doit toujours être conquise – que ce soit sur le plan individuel ou collectif.

On pourra donc trouver symptomatique qu'Herbert Gans (l'un des principaux idéologues de la nouvelle gauche américaine) – dans sa volonté de prouver à quel point la seule indépendance juridique reconnue aux femmes modernes (c'est l'exemple qu'il prend) suffit par elle-même à définir un progrès *humain* radical – ait précisément choisi comme argument principal à l'appui de sa thèse, le fait qu'une « ménagère » pouvait désormais « décorer sa maison à sa façon, plutôt qu'à la manière dont ses parents ou ses voisins l'avaient toujours fait ». Et cette émancipation était encore amplifiée – ajoutait-il triomphalement – par le fait que les médias modernes lui fournissaient « non seulement une légitimation de son propre désir de s'exprimer par elle-même, mais également une série de solutions, de goûts culturels variés, à partir desquels elle peut commencer à développer le sien ».

Comme le fait remarquer Christopher Lasch, « l'ironie de l'histoire, c'est que Gans, comme beaucoup d'autres analystes de la modernisation, passe à côté du fait que cette émancipation de la ménagère à l'égard des attitudes "traditionnelles" réside presque exclusivement dans l'exercice de sa liberté de consommation. *Elle ne se libère elle-même de la tradition que pour se plier à la tyrannie de la mode.* Cette liberté se résume en pratique à choisir entre une marque X et une marque Y ». Et dans la mesure – continue Lasch – « où elle compte sur les médias de masse pour se voir proposer une image de sa libération personnelle, elle se trouve elle-même prisonnière d'un choix qui se limite à des avis programmés à l'avance et à des idéologies mises au point par des fabricants d'opinions et qui sont mises sur le marché, comme toutes les autres marchandises, en fonction de leur valeur d'échange plus que de leur valeur d'usage. Le mieux qu'une ménagère puisse faire avec de tels matériaux, ce n'est pas de se construire une vie mais simplement un *style de vie* [1] ».

---

1. *Culture de masse ou culture populaire ?* (*op. cit.*, p. 49). Mentionnons également cette autre analyse de Lasch : « Le développement d'un marché de masse qui détruit l'intimité, décourage l'esprit critique et rend les individus dépendants de la consommation, qui est supposée satisfaire leurs besoins, anéantit les possibilités d'émancipation que la suppression des anciennes contraintes pesant sur l'imagination et l'intelligence avaient laissé entrevoir. En conséquence la liberté prise par rapport à ces contraintes en vient souvent, dans la pratique, à la seule liberté de choisir entre des marchandises plus ou moins similaires. L'homme ou la femme moderne, éclairé, émancipé, se révèle ainsi, lorsqu'on y regarde de plus près, n'être qu'un consommateur beaucoup moins souverain qu'on croit » (*ibid.*, p. 32).

Bien entendu, en proposant cette analyse, Lasch ne visait pas à nous faire oublier que le fait *juridique* d'être à présent libéré des contraintes communautaires traditionnelles (à supposer qu'elles soient toutes à mettre sur le même plan [1]) *modifie de façon radicale* les manières de vivre d'un sujet, et donc son rapport métaphysique à l'existence. Il entendait seulement attirer notre attention sur le fait que cette nouvelle condition juridique ne garantissait pas, par elle-même, que l'individu ainsi « libéré » – homme

---

1. Il conviendrait, par exemple, de distinguer les contraintes anthropologiques traditionnelles qui sont liées à l'essence de la logique du don (autrement dit, à la triple obligation – intégralement *universalisable* – de « donner, recevoir et rendre ») et les formes culturelles ou historiques particulières que ces contraintes ont pu prendre dans telle ou telle société donnée. Autant la critique de ces dernières peut, naturellement, s'avérer moralement et politiquement indispensable (lorsqu'il s'agit, par exemple, de la subordination des femmes), autant le projet (sadien) de se libérer de la logique du don elle-même ne pourrait conduire qu'à saper l'un des fondements anthropologiques les plus essentiels de l'autonomie individuelle et collective. Une « monade » humaine peut bien être *indépendante* (du moins dans son fantasme) ; elle ne pourra jamais (en tant que telle) devenir *autonome*, puisque la possibilité même d'accéder à l'autonomie (ou, si l'on préfère, de « grandir » ou de « mûrir ») suppose un rapport préalable à l'autre (et donc une forme d'« intersubjectivité ») placé sous le signe privilégié du don. C'est pourquoi ceux qui n'ont jamais su dépasser leur égoïsme initial – en général, parce qu'ils n'ont rencontré autour d'eux ni amour ni amitié véritables (ce que les Grecs nommaient la *philia*) – n'ont jamais pu, non plus, devenir des adultes autonomes (c'est-à-dire *libres* au sens socialiste du terme).

ou femme – soit désormais en mesure d'exercer une souveraineté *réelle* sur sa propre vie individuelle et collective ; et donc qu'il était très prématuré d'en conclure – comme Herbert Gans – que les objectifs du projet socialiste avaient, en somme, déjà trouvé leur accomplissement historique réel dans la modernité libérale (ce qui constitue, comme on le sait, le postulat de toutes les nouvelles gauches).

Il va de soi qu'un libéral répliquerait aussitôt à Lasch qu'une telle analyse est purement « idéologique », et qu'elle peut même conduire un pouvoir politique à vouloir s'immiscer dangereusement dans la vie *privée* des uns et des autres. Aux yeux d'un libéral, on l'a vu, *tous* les comportements humains sont également légitimes, dès lors qu'ils ne « nuisent pas à autrui » (sous réserve, bien entendu, qu'on puisse donner un sens juridique précis à ce dernier critère).

De fait, la distinction socialiste [1] entre le sens purement juridique du mot liberté (« le pouvoir de faire tout ce qui n'est pas interdit par la loi ») et ce qui serait son sens humain ou philosophique véritable (dont le critère ultime est toujours la *maturité* et *l'accomplissement de soi*) suppose évidemment qu'on ait reconnu la validité philosophique du concept d'« aliénation » (et l'on comprend, à nouveau, pourquoi ce concept est – avec la critique de l'utilitarisme – la principale bête noire philosophique

1. Sous ce rapport, il y a un lien évident entre le socialisme et certains aspects de la tradition républicaine classique.

de tous les libéraux, et tout particulièrement des lecteurs de *Libération*)[1]. Toutefois, dès lors que l'on accepte le principe de cette théorie de l'aliénation (autrement dit, dès lors que l'on admet qu'il y a *réellement* un sens à soutenir qu'un drogué du travail ou des jeux vidéo, un *junkie*, une *fashion victim*, ou encore un être humain *prêt à tout* pour devenir riche, puissant ou célèbre, sont bien, chacun dans leur registre, des *individus aliénés*), les conclusions socialistes de Lasch deviennent beaucoup plus faciles à comprendre. On reconnaîtra ainsi que les individus atomisés d'une société libérale ont, certes, été émancipés en tant que consommateurs (de même qu'en tant que producteurs – le salariat moderne désignant précisément la possibilité de vendre « librement » sa force de travail). Mais on s'empressera d'ajouter que cette incontestable *libéralisation* ne contient, par elle-même, aucune promesse particulière quant à la possibilité concrètement offerte à ces individus de s'émanciper *humainement*. Elle ne les invite effectivement en rien à édifier collectivement un contexte politique, social et culturel susceptible de *favoriser philosophiquement et matériellement* une existence

1. Du point de vue libéral, le simple fait – par exemple – de critiquer l'emprise des jeux vidéo sur l'imaginaire des enfants ou de dénoncer les phénomènes d'addiction qu'ils sont susceptibles d'induire, classe automatiquement l'auteur de la critique parmi les « nouveaux réactionnaires » (ou tout au moins – selon la version libérale soft – dans la catégorie de ces pauvre hères incapables de « vivre avec leur temps »). Ceci est vrai, *a fortiori*, de toute critique visant les principes même de l'*éducation libérale*.

solidaire et désaliénée, plutôt que la guerre de tous contre tous. Une existence, par exemple, qui ne serait plus placée, *dès la naissance*, sous le signe contraignant de la propagande publicitaire, du contrôle médiatique de notre « temps de cerveau disponible » ou de l'exhortation perpétuelle à « réussir » au détriment des autres.

On ne saurait, cependant, en rester là. Il convient, en effet, de nuancer en partie – comme, du reste, Christopher Lasch nous y invite lui-même – l'opposition philosophique entre l'*atomisation* juridique des individus (qui constitue un principe axial du libéralisme) et cette *autonomisation* individuelle et collective, qui demeure l'objectif ultime de toute société socialiste (ou de toute « société décente » – si l'on préfère la terminologie plus consensuelle adoptée par Orwell). Car si la simple indépendance juridique des sujets ne garantit pas leur accès à l'autonomie personnelle (ou collective), l'expérience historique a suffisamment prouvé, en revanche, qu'elle en était devenue – *au moins dans nos sociétés modernes* [1] – une condition politique indispensable.

On ne reviendra pas sur le fait que la ménagère modèle d'Herbert Gans – que le capitalisme a effectivement émancipée *en tant que travailleuse* (elle peut, désormais, choisir d'exercer un emploi sans l'accord préalable de sa famille) et *en tant que*

1. Il serait, en effet, difficile de nier l'existence d'individus déjà autonomes dans les sociétés dites traditionnelles. Le processus d'autonomisation y a donc nécessairement d'autres bases (et d'autres formes) que l'individualisme juridique.

consommatrice (*libre* à elle d'être une *fashion victim* ou de s'imposer un régime alimentaire drastique pour ressembler à son actrice préférée) – n'a pas été libérée pour autant, *en tant qu'être humain* [1]. Céder sur ce point, ce serait en revenir purement et simplement à la position libérale originelle. Toutefois, pour que notre ménagère modèle puisse devenir réellement autonome – pour qu'elle puisse, par exemple, s'émanciper de sa propre initiative de la tyrannie de la mode, de la presse dite « féminine », ou encore des critères de poids et de beauté imposés par le marché mondial – encore faut-il qu'elle possède *les moyens juridiques* de disposer librement de sa propre personne. Il n'y aurait, en effet, guère de sens, pour une

---

1. Dans une société libérale, ceci est naturellement vrai de toutes les catégories (ou « communautés ») concevables. Si, par exemple, le statut des homosexuels a évolué de façon positive au cours des dernières décennies, c'est non seulement parce que toute discrimination à l'embauche et à la vente est contre-productive d'un point de vue strictement capitaliste, mais *surtout* parce que les homosexuels *des classes moyennes et aisées* (c'est seulement à eux, en effet, que devrait s'appliquer le terme de *gay*) ont une consommation supérieure à la moyenne et sont d'ailleurs eux-mêmes, des *prescripteurs de modes*, reconnus en tant que tels. Il ne fait donc aucun doute que l'homosexuel *gay* a bien été intégralement libéré en tant que consommateur ou en tant qu'icône de la mode et de l'univers *people* (le succès de la *Gay Pride* – cette grand-messe annuelle du Spectacle et de la consommation branchée – le prouve suffisamment). Mais – comme Pasolini l'avait bien vu – cela ne signifie pas pour autant qu'il ait été véritablement admis et reconnu *en tant qu'être humain* (comme il pourra l'être enfin dans une société décente). Il existe aussi des ghettos dorés.

femme, à vouloir se soustraire aux contraintes aliénantes de la mode, si sa communauté d'appartenance conservait, par exemple, les moyens de l'obliger *contre sa volonté* à porter le voile ou à revêtir la *burqa*. Le statut de « sujet de droit » ne définit donc pas seulement un cadre imaginaire ou purement « formel » (comme le voulait Lénine). Il constitue, en réalité, la *condition juridique la plus favorable*, dans une société moderne, au processus d'émancipation *réelle* des individus. C'est pourquoi une société socialiste dont le projet serait de rendre les individus aussi autonomes – *ou adultes* – que possible (c'est, en gros, le projet inverse de celui qui fonde les stratégies d'infantilisation de la société capitaliste) devrait manifestement considérer le système des libertés individuelles que la théorie des droits de l'homme a permis de fonder, comme une *base de départ privilégiée* et, à ce titre, comme l'une de ses conditions de possibilité politiques les plus précieuses.

Une théorie socialiste des « droits de l'homme » implique par conséquent une « lutte sur deux fronts ». Elle exige que l'on s'oppose aussi bien à leur négation léniniste qu'à leur présente sacralisation « citoyenne » par les « nouvelles radicalités ». On s'abstiendra ainsi, en premier lieu, de considérer que la définition historique de ces droits représente *a priori* un progrès *moral* irréversible – qui s'inscrirait de surcroît dans un « sens de l'Histoire » (ou une « évolution des mœurs ») opportunément identifié à la seule vision occidentale du monde. Quelles que soient les traces d'idéologie républicaine qui ont pu – çà et là – en marquer les premières formulations, il demeure acquis que la logique des « droits de l'homme » doit *d'abord* être comprise à partir du souci libéral d'éviter que les monades égoïstes ne s'entretuent, et que l'État ou l'Église ne se mêlent de leurs affaires privées. De ce point de vue, ces droits s'inscrivent bien (malgré telle ou telle référence rhétorique toujours possible à la « dignité de l'homme ») dans cet idéal de neutralité axiologique qui représente, depuis le XVIIe siècle, l'horizon des sociétés modernes.

S'il apparaît néanmoins indispensable, dans une optique anticapitaliste, de protéger *inconditionnellement* ces droits de « l'individu isolé », ce n'est donc pas pour souscrire aux « robinsonnades » (selon le mot de Marx) qui en définissent l'arrière-plan métaphysique. C'est tout simplement parce qu'en défendant ces libertés monadiques, on défend simultanément l'une des principales *conditions de possibilité* de toute autonomie réelle et, par là même, la condition de possibilité d'une société dont les structures encourageraient la solidarité et la coopération plutôt que la rivalité et la concurrence. Il faut bien, en effet, que *tous* puissent *d'abord* disposer librement de leur *personne* pour que l'usage *personnel* qu'ils choisiront de faire de cette liberté « formelle » ait une chance de les conduire à une autonomie véritable, que ce soit dans leur vie personnelle ou dans la vie publique et collective [1].

1. On pourrait trouver une matérialisation intéressante de la théorie libérale des droits de l'homme dans l'invention de l'*isoloir* (qui ne sera d'ailleurs introduit en France qu'en 1913). Nous avons là, en effet, le dispositif *atomisant* par excellence. Pour autant, chacun voit bien (à commencer par les manipulateurs d'assemblées générales, toujours adeptes du *vote à main levée*) que sans ce dispositif (ou sans un système équivalent)

De toute façon, il s'agit là d'une question philosophique que l'histoire du XXe siècle a déjà résolue à sa manière, et en y mettant le prix : partout où ces droits fondamentaux ont été dénoncés, bafoués ou abolis, *aucune* société socialiste n'a jamais pu voir le jour.

Faut-il alors en conclure que la défense socialiste des « droits de l'homme » pourrait *se confondre* avec leur actuel mode de légitimation libéral – ou « citoyen » – (comme si, au fond, seul l'esprit philosophique qui anime ces deux types de combat introduisait une différence pratique) ? Ce serait évidemment oublier qu'une défense socialiste des libertés individuelles ne peut avoir de sens *spécifique* que si, *dans le même temps*, elle s'oppose radicalement à cette *logique de l'illimitation libérale* qui surdétermine en permanence le combat libéral-citoyen et légitime toutes ses stratégies de fuite en avant. L'articulation de la défense des libertés individuelles et de la *common decency* (et du sens commun) apparaît d'autant plus indispensable que la logique d'illimitation libérale (et l'inévitable tendance à légiférer *sur*

---

aucun choix individuel ne pourrait être exercé librement. En ce sens, les droits de l'homme peuvent être décrits comme des « droits-isoloirs » : s'ils ne préjugent en rien de la justesse ou de la décence des choix opérés à l'intérieur du cadre qu'ils définissent, ils en signent néanmoins le caractère *libre*, au sens le plus élémentaire du terme. Sur ce problème précis, on découvrira des informations passionnantes dans le petit livre d'Alain Garrigou, *Les Secrets de l'isoloir* (Thierry Magnier, 2008).

tout qui l'accompagne) ne peut que déclencher, à terme, une *réaction en chaîne non maîtrisée* dont la conséquence la plus probable (comme on ne le voit déjà que trop) est la multiplication indéfinie des interdits et le rétrécissement inexorable de ces mêmes libertés [E].

Tel est, en somme, l'ultime paradoxe : le projet d'une société socialiste décente offre au combat pour la défense et l'extension des libertés revendiquées par les premiers libéraux un cadre philosophique qui s'avère désormais infiniment plus protecteur que celui du libéralisme développé et devenu « citoyen ». Le temps est venu, en effet, où les « droits de l'homme » doivent être protégés contre eux-mêmes – ou plus exactement contre cette logique libérale qui en constituait jusqu'ici le principal moteur.

III

À la base du projet libéral, il y avait donc l'idée que l'affrontement *irréductible* des intérêts et des désirs (supposé trouver sa source dans la nature égoïste de l'homme) pourrait recevoir une solution acceptable (la « moins mauvaise » société possible) à partir du moment où il serait *métabolisé* par les mécanismes impersonnels du Droit et du Marché. Dans ce cadre politique axiologiquement neutre, les « droits de l'homme » ont essentiellement une fonction négative. Ils sont là pour permettre à chacun de vaquer tranquillement à ses propres affaires et pour veiller à ce que les égoïsmes rivaux ne s'anéantissent pas réciproquement. Toute volonté politique d'aller au-delà de l'espace défini par ces droits ne pourrait, dans la doctrine libérale, que réinstaller brutalement les conditions idéologiques de la guerre de tous contre tous ou de son prétendu dépassement totalitaire.

La critique socialiste ne voit, au contraire, dans ces droits ni une fin en soi ni, par conséquent, le signe que l'Histoire est enfin arrivée à son terme. C'est que le projet socialiste s'est précisément construit sur la mise à l'écart des deux postulats majeurs de la modernité (intégrés comme tels dans l'axiomatique libérale) : d'une part, l'idée qu'il serait impossible à l'homme d'agir autrement que par intérêt (ou vanité) ; d'autre part, l'idée qu'une société bien faite devrait s'interdire tout jugement sur ce qui est bien ou mal, sauf à précipiter le retour des guerres de religion.

Le socialisme (à la différence des utopies totalitaires) ne croit pas pour autant à la possibilité d'établir un *paradis terrestre*. C'est là son point commun avec le libéralisme originel (et le fondement, par exemple, de la critique par Pierre Leroux des « rêves de papauté » de l'Église saint-simonienne)[1]. Mais, à la différence des libéraux, les socialistes ne croient pas non plus à la nature intrinsèquement mauvaise de l'homme. C'est pourquoi ils pensent qu'une

1. C'est évidemment l'existence de ce point commun qui permettrait à Orwell de légitimer le principe d'une alliance *défensive* et ponctuelle entre libéraux et socialistes face aux menaces des différents totalitarismes.

société *décente* (c'est-à-dire une société fondée sur ce que les hommes peuvent donner de *meilleur* chaque fois que le contexte politique et culturel les y encourage) demeure, envers et contre tout, un idéal de société plausible – et qui mérite, dès lors, qu'on continue à le défendre. Si les socialistes doivent protéger inconditionnellement les *libertés fondamentales* de l'individu, c'est donc avant tout dans la mesure où elles représentent l'*une* des conditions de *possibilité* majeures de cette société décente (l'autre étant, bien sûr, le fait – comme l'écrivait Orwell que « les gens *ordinaires* sont toujours restés fidèles à leur code moral », ce qui demeure *globalement* exact [1]). Mais cela implique, du coup, que le développement politique *indispensable* des « droits de l'homme » doit cesser, une fois pour toutes, d'obéir à la seule logique libérale de *la fuite en avant.* Le développement de ces droits ne pourra, en effet, *contribuer* à l'émancipation réelle des individus, des peuples et du genre humain lui-même, que s'il continue à prendre appui sur la *common decency* et le *bon sens* des travailleurs et des « gens ordinaires » ; autrement dit, que s'il trouve dans ces deux vertus essentielles le principe philosophique majeur de son autolimitation.

Certes, la plupart des intellectuels de gauche – comme Orwell l'observait déjà à son époque – ne

1. On trouvera une nouvelle démonstration empirique de cette thèse (inaudible pour tout idéologue libéral) dans le remarquable article de Samuel Bowles et Herbert Gintis, *L'idéal d'égalité appartient-il au passé ? Homo reciprocans versus Homo economicus* (*Revue du Mauss*, 1er semestre 2008).

manqueront pas d'accueillir cette notion de *limite philosophique* « avec un ricanement de supériorité » (il est vrai que ce n'est généralement pas la morale ou le bon sens qui les étouffe). La question « *pourquoi pas ?* » n'est-elle pas devenue, depuis longtemps, l'alpha et l'oméga de leur sagesse crépusculaire ? Ce n'est pourtant qu'en acceptant de réintroduire ces deux critères traditionnels dans les arbitrages humains – le bon sens et la *common decency* (et donc en protégeant également leurs fondements anthropologiques et historiques) – que nous pourrons préserver encore les conditions pratiques d'une société décente et, avec elles, les dernières chances d'un monde meilleur.

NOTES

[A]

Le travail de falsification médiatique et universitaire a été poussé si loin, de nos jours, qu'on trouverait difficilement des étudiants (voire des « doctorants ») capables d'imaginer que la critique des droits de l'homme se situait il y a quelques décennies encore *au cœur même* de la théorie marxiste et donc, de la plupart des combats révolutionnaires. De la même façon, toute critique de la philosophie des Lumières se voit, à présent, *automatiquement* assimilée à une prise de position « réactionnaire » ou « néoconservatrice », probablement inspirée par le Vatican ou le télé-évangélisme américain. Relisons pourtant le premier chapitre de l'*Anti-Dühring*. Comme chacun pourra le vérifier, Engels commence par y décrire les postulats fondamentaux de la philosophie des Lumières : « Toutes les formes antérieures de société et d'État, toutes les vieilles idées traditionnelles furent déclarées déraisonnables et jetées au rebut ; le monde ne s'était jusque-là laissé conduire que par des préjugés ; tout ce qui appartenait au passé ne méritait que pitié et mépris. Enfin, le jour se levait ; désormais, la superstition, l'injustice, le privilège et l'oppression devaient être balayés par la vérité éternelle, la justice éternelle, l'égalité fondée sur la nature et les droits inaliénables de l'homme. » Et comment le collaborateur de Marx juge-t-il un tel programme (auquel, de nos jours, les « nouvelles radicalités » souscriraient sans la moindre hésitation intellectuelle) ? « Nous savons aujourd'hui – écrit Engels – *que ce règne de la Raison n'était rien d'autre que le règne idéalisé de la bourgeoisie.* » La question n'est évidemment pas, ici, de savoir dans quelle mesure cette critique d'Engels est fondée. Elle est bien plutôt de comprendre pourquoi (et surtout *comment*) on a réussi, en quelques décennies, à *enseigner* à la jeunesse que *cette critique n'avait jamais existé.* Ce qui est sûr, c'est qu'un tel exploit pédagogique aurait été impossible sans la formation par l'État libéral d'un réseau d'« éducateurs » d'un genre tout à fait nouveau. Je ne peux que renvoyer ici à mon essai sur *L'Enseignement de l'ignorance.*

[B]

Rappelons, une dernière fois, la nature de cette interaction dialectique. La forme philosophiquement vide du Droit libéral *développé* (ou cohérent) ne peut fournir par elle-même aucun principe d'arrêt ni, par conséquent, aucune règle *positive* de vie commune. C'est pourquoi le Droit libéral – s'il veut éviter le retour de la guerre de tous contre tous – est toujours contraint, tôt ou tard, d'aller chercher dans l'économie de marché le contenu philosophique positif qui lui manque structuralement. La logique du « donnant-donnant » (qui fonde aussi bien l'échange marchand que le contrat juridique) se présente, en effet, comme l'unique forme possible de lien social qui respecte intégralement les prescriptions de l'axiomatique libérale : chacun est supposé y trouver son compte, sans jamais avoir à renoncer pour autant à sa liberté. Réciproquement, le développement *illimité* de l'économie de marché (ou « croissance ») exige la transformation progressive de l'être humain en *consommateur*. Entendons par là, un type d'*homme nouveau* (ou, ce qui est synonyme, un *mutant*) qui, dans l'idéal, ne se refuserait jamais rien et qui serait même prêt à se prostituer sous une forme ou sous une autre (y compris, par exemple, en acceptant *de lui-même* de travailler au-delà de ce qui est moralement nécessaire) afin de se procurer l'ensemble des pacotilles qu'on lui a appris à tenir pour indispensables. Dans l'absolu, le Marché libéral implique donc la formation d'un *être humain axiologiquement neutre* – dépourvu de tout principe moral comme de tout sens de l'honneur ; un être humain, pour tout dire, *entièrement post-humain*.

Les conséquences politiques de cette *dialectique* sont bien connues, et empiriquement vérifiables. Plus une dictature s'ouvre à la logique du marché, de la mode et de la consommation, plus elle devra, tôt ou tard, accepter la *libéralisation* de ses mœurs et de son Droit (en simplifiant beaucoup, c'est la *voie chinoise*). Inversement, plus une communauté encourage la *libéralisation* de ses mœurs et de son Droit, plus il lui faudra, tôt ou tard, s'engouffrer à son tour dans la ronde infernale de l'économie de marché, de la mode et de la consommation (en simplifiant beaucoup, c'est la *voie espagnole*). Savoir qui est premier, de l'œuf ou de la poule, n'a pas – à ce niveau de généralité philosophique – beaucoup d'intérêt : tout dépendra ici des analyses concrètes de situation concrètes. Ce qui importe, en revanche, c'est qu'on ait bien vu que je n'ai parlé jusque-là que de la « libéralisation » des mœurs, et non de leur *libération* effective.

[C]

« Le *diversity management*, que l'on peut traduire par la volonté de promouvoir et de gérer la diversité, a le vent en poupe. D'après une étude réalisée auprès de 500 entreprises berlinoises par Renate Ortlieb et Barbara Sieben, de l'Université libre de Berlin, 20 % d'entre elles ont recruté des salariés expressément parce qu'ils étaient issus de l'immigration et 10 % cherchent spécifiquement des immigrés. « *On commence à ne plus considérer l'origine étrangère comme un problème mais comme un potentiel* », confie Renate Ortlieb. Si les entreprises s'engagent, ce n'est pas par philanthropie ou pour soigner leur image, *c'est parce qu'elles en tirent profit* » (*Courrier international*, 17 juillet 2008). Si le mot est nouveau, la chose est, bien entendu, beaucoup plus ancienne. On se souvient ainsi du rôle central que les hommes d'affaires de Johannesburg ont naguère joué dans le renversement de l'apartheid en Afrique du Sud. De toute évidence, ce n'est pas la compassion pour les victimes de cette institution moralement inacceptable qui motivait la plupart d'entre eux. En réalité, s'ils en sont venus à effectuer ce *choix rationnel*, c'est simplement parce qu'ils avaient compris que le développement du capitalisme sud-africain était devenu incompatible avec le cadre politiquement aberrant d'un État raciste. Cela ne discrédite évidemment *en rien* le principe même de la lutte contre l'apartheid. Cela discrédite, en revanche, tous ceux qui imaginaient que la fin de cet apartheid pourrait coïncider avec celle de la logique capitaliste. L'histoire ultérieure de l'Afrique du Sud n'a cessé de prouver à quel point une telle analyse était particulièrement naïve.

[D]

Cette explication n'a évidemment rien d'absurde par elle-même. Bien des mesures ont été imposées au Capital au terme de luttes fondées sur un *rapport de forces* favorable aux classes populaires. Tel est par exemple le cas, en France, des réformes du Front populaire, de la Libération ou de « Mai-Juin 68 ». Ce sont, du reste, ces luttes qui sont, la plupart du temps, à l'origine de nos *acquis sociaux*. Mais du fait que ces réformes ont été *imposées* au Capital dans des contextes historiques précis, elles peuvent également être remises en question sitôt que le rapport de forces redevient favorable aux classes dominantes – comme on le voit bien de nos jours avec le régime des retraites, la Sécurité sociale, la durée du travail et bientôt (n'en doutons pas) *des congés payés eux-mêmes*. Ce qui est symptomatique, en revanche, c'est que chaque fois que la droite moderne est à nouveau au pouvoir, elle ne revient *jamais* sur ces *acquis culturels* dont la dénonciation était pourtant au cœur de sa rhétorique électorale. Comme le remarque Thomas Frank, « les principaux chantres de la réaction peuvent bien évoquer le Christ en permanence, leur seul saint patron est le monde des affaires. Les valeurs peuvent bien passer "avant tout" pour les électeurs, ils se mettent toujours au service de l'argent une fois qu'ils l'ont emporté. *C'est d'ailleurs là une des marques distinctives du phénomène qui fut d'une absolue régularité au cours des précédentes décennies*. L'avortement n'est jamais interdit. La discrimination positive n'est jamais abolie. L'industrie culturelle n'est jamais tenue de faire le ménage chez elle ». « Ce fait – poursuit Thomas Franck – intrigue tout particulièrement les observateurs. Et l'on s'attendrait à ce qu'il en soit de même pour les vrais fidèles de la réaction. *Leurs tribuns grandiloquents ne passent jamais à l'acte*. Leur colère s'exaspère mais ils réélisent pourtant tous les deux ans leur héros de droite pour la deuxième, la troisième ou la vingtième fois. Le truc n'est jamais éventé et l'illusion jamais dissipée. *Votez* pour interdire l'avortement et *vous aurez* une bonne réduction de l'impôt sur le capital. *Votez* pour faire la nique à ces universitaires politiquement corrects et *vous aurez* la déréglementation de l'électricité. *Votez* pour résister au terrorisme et *vous aurez* la privatisation de la Sécurité sociale. *Votez* pour mettre une bonne taloche à l'élitisme et *vous aurez* un ordre social au sein duquel les riches sont plus riches qu'ils ne l'ont jamais été, les travailleurs dépourvus de tout pouvoir et les PDG rémunérés au-delà de toute imagination » (*Pourquoi les pauvres votent à droite*, Agone, 2008, pp. 32-33). Il est vrai que la fonction des « universitaires politiquement corrects » (les Badiou, les Fassin, les Terray, les Mucchielli et autres Noiriel) est précisément de veiller à ce que « le truc ne soit jamais éventé » et « l'illusion jamais dissipée ». C'est seulement à ce prix, en effet, qu'ils peuvent espérer maintenir leur mode de vie très particulier et conserver les privilèges matériels, institutionnels et symboliques qui en constituent le fondement. Tout en engrangeant parallèlement, cela va de soi, les inestimables bénéfices de cette « bonne conscience » auxquels les mandarins de gauche ont toujours été très attachés.

[E]

Cette précision est d'autant plus nécessaire que la logique d'illimitation du Droit libéral (son absence de « principe d'arrêt » moral ou philosophique) conduit dans la pratique – comme nous l'avons déjà vu – à multiplier *mécaniquement* les interdits, les lois et les règlements. Pour nous en tenir à un seul exemple (mais il est particulièrement révélateur) il est désormais *évident* que la liberté d'expression – qui avait toujours constitué *le fondement de tous les autres droits de l'homme* – n'a globalement cessé de reculer, depuis trois décennies, dans la plupart des pays européens. Non seulement parce que le développement de l'économie capitaliste conduit à concentrer tous les moyens d'expression entre les mains de minorités puissantes. Mais, également, et peut-être surtout, parce que la *juridification* croissante des relations humaines (qui n'est que l'autre face de leur marchandisation) conduit désormais à placer tous les chercheurs qui conservent un minimum de courage et d'indépendance d'esprit sous la menace perpétuelle d'amendes, de procès ou d'interdictions professionnelles – parfaitement inimaginables dans les années qui avaient suivi « Mai 68 ».

L'affaire Gougenheim (auteur d'un livre austère et savant sur *Aristote au Mont-Saint-Michel*) ne représente que le plus récent avatar de ces nouvelles chasses aux sorcières que la *logique d'illimitation libérale* conduit inexorablement à développer – pour le plus grand bonheur de ces éternels *corbeaux* et *maîtres chanteurs* qui ne manquent jamais de sortir des bois lorsque le ciel de l'Histoire s'assombrit. Dans la mesure où cette affaire illustre de manière *exemplaire* (ou, si l'on préfère, de manière caricaturale) les nouvelles mœurs de la gauche libérale, on se reportera à l'étude minutieuse – et saisissante – qu'André Perrin a consacrée à la méthode de « travail » des corbeaux pétitionnaires (« Le médiéviste et les nouveaux inquisiteurs », texte à paraître). Sa conclusion est sans appel : « Est-il conforme à la démarche scientifique et à la déontologie de l'historien dont pourtant ils se réclament – écrit ainsi André Perrin – que *des dizaines d'universitaires* aient osé condamner un ouvrage qu'ils n'avaient pas lu, dans un texte débutant par ces mots : "Historiens et philosophes, nous avons lu avec stupéfaction l'ouvrage de Sylvain Gougenheim..." ? Quel crédit le non-spécialiste, qui n'est pas en mesure de faire lui-même œuvre d'historien, pourra-t-il leur accorder désormais ? Peut-on dénoncer l'idéologie au nom de la science à l'intérieur d'une démarche qui bafoue les règles élémentaires de la probité scientifique et que seul le parti pris idéologique peut rendre intelligible ? La réception du livre de Sylvain Gougenheim aura mis en évidence le climat délétère d'intimidation intellectuelle qui règne aujourd'hui. Celui-ci laisse peu de place au dialogue et peu de chances à la liberté de l'esprit. »

Il est vrai qu'on a fini par apprendre, grâce à *Télérama* (qui se trouvait pourtant à l'origine de cette entreprise maccarthyste) que, sitôt leur besogne accomplie, un certain nombre de ces corbeaux pétitionnaires (dont certains, je le rappelle, sont – à l'image d'Alain de Libera – des *universitaires en place*) se sont empressés d'assiéger Laurence Devillairs – la directrice de la collection *L'univers historique* aux éditions du Seuil – afin qu'elle leur envoie (gratuitement, je présume) le fameux livre de Sylvain Gougenheim. Histoire de voir, sans doute, dans quelle mesure la version originale du texte excommunié correspondait bien à la critique attentive qu'ils avaient su en faire.

Peut-être est-ce ici l'occasion de rappeler les mots de Spinoza, concluant le *Tractatus theologico-politicus* : « Nombre d'exemples ont établi que les lois instituées au sujet de la religion, *c'est-à-dire pour empêcher les controverses*, servent plus à irriter les hommes qu'à les corriger;

et aussi que d'autres hommes les utilisent pour s'autoriser une licence sans bornes [*infinitam licentiam*], et enfin que les schismes tirent leur origine non pas d'un grand zèle pour la vérité (qui est source de bienveillance et de mansuétude ["comitatis et masuetudinis"] mais *d'un grand désir de dominer.* Tout cela établit avec plus de clarté que la lumière du jour que les schismatiques sont ceux qui condamnent les écrits des autres et excitent séditieusement la foule querelleuse [vulgum petulantem] contre eux, plutôt que les auteurs mêmes de ces écrits, qui le plus souvent ne s'adressent qu'aux savants et n'appellent à l'aide que la Raison » (*Tractatus theologico-politicus*, chapitre XX).

TABLE

Composition et mise en page

N° d'édition : L.01EHQN000238.N001
Dépôt légal : octobre 2008
Imprimé en Espagne par Novoprint (Barcelone)